Openbare Bibliotheek
Cinétol
Tolstraat160
1074 VM Amsterdam
Tel.: 020 – 662.31.84
Fax: 020 – 672.06.86

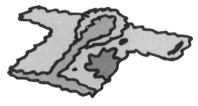

Mijn familie is een bende

Lees ook van Dolf Verroen

De verschrikkelijke schoolmeester
De verschrikkelijke schooljuffrouw

www.leopold.nl

Dolf Verroen

Mijn familie is een bende

Met illustraties van Auke Herrema

Leopold / Amsterdam

Voor Gerard Hemmes
al vijfentwintig jaar fan

Eerste druk 2008
© 2008 tekst: Dolf Verroen
© 2008 illustraties: Auke Herrema
Omslagontwerp: Marjo Starink
Uitgeverij Leopold, Amsterdam
ISBN 978 90 258 5301 3 / NUR 283

Uitgeverij Leopold drukt haar boeken op papier met het FSC-
keurmerk. Zo helpen we waardevolle oerbossen te behouden.

Inhoud

Beren

Jessie stond voor de bak met beren. Ze lagen daar als bloe-metjes in een boeket. Ze waren hetzelfde en toch niet. Eén beertje keek haar aan alsof het meegenomen wilde worden. Jessie keek om zich heen. Het was druk in de winkel. Nie-mand besteedde aandacht aan haar. Ze stak haar hand in de bak en pakte het beertje. Ze stopte het in haar zak. Het was een diepe zak. Zo'n jaszak had niemand.

Ze begon te lopen. Rustig. Beheerst. Zoals haar moeder het haar geleerd had. Bij de sokkenafdeling bleef ze staan. Sok-

ken met beren erop. Ze haalde een paar van het haakje. IJsberen. Die had buuf nog niet!

Net toen ze de sokken in haar zak wilde stoppen, kwam er een winkeljuffrouw op haar af.

'Wou je die hebben?'

Jessie begon net niet te trillen. 'Ik weet het nog niet.'

'Ze zijn anders wel leuk, hoor.'

Jessie gaf geen antwoord.

Ze hing de sokken weer op en liep verder. Ze had het gevoel of het meisje haar volgde. Ze durfde niet om te kijken. Ze stak haar hand in haar zak en voelde het beertje. Het was klein en zacht. Lief.

Bij de fotolijstjes bleef ze staan.

Ze pakte er een op en keek om zich heen.

Niemand besteedde aandacht aan haar.

Naast een oude mevrouw liep ze naar de uitgang. Het was een zonnige middag en de deuren stonden open. Ze liepen naar buiten.

Alarm!

Jessie liep door, de smalle, drukke winkelstraat in. De mevrouw bleef staan. Binnen twee tellen was er iemand van de beveiliging. Jessie had het gevoel alsof ze misselijk werd. Toch bleef ze gewoon lopen. Rustig. Precies zoals het hoort. Langs een zijstraatje. Ze ging er niet in. Dat deed iedere dief. Ze bleef staan voor een etalage van een schoenenwinkel.

Ze werd niet gevolgd.

Op naar de buurvrouw!

Onderweg bekeek ze een etalage met kristallen voorwerpen. Er was zelfs een beertje bij. Jessie wilde het dolgraag hebben. De buurvrouw verzamelde beren en deze zou ze prachtig vinden. Jessie keek de lege winkel in. Het had geen zin om naar binnen te gaan.

Vlak bij huis bekeek ze het gepikte beertje.

Het was schattig.

Dat vond de buurvrouw ook.

Ze zette het op de verzamelplank bij haar andere beren. 'Wat lief van je,' zei ze wel drie keer. 'Als alle kinderen waren zoals jij, zou de wereld er beter uitzien.'

Bontjas

Jessie en haar ouders woonden in het bovenhuis.

Haar vader was groot en lang, haar moeder zo dun als een spriet. Jessie mocht Piet en Spriet tegen ze zeggen. Piet mocht geen Duifje zeggen, hoewel Jessie eigenlijk zo heette.

Ze drukte drie keer op de bel.

Piet trok de deur open. 'Spriet is razend, razend.'

Jessie spurtte de kamer in.

Op de tafel lag een half oranje, half witte bontjas. Haar moeder was hem met felle halen aan het schoonmaken.

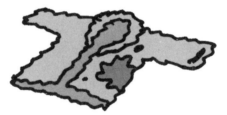

'Het helpt niks, niks,' zei ze. 'Hij kan zo de container in.' Ze gooide de borstel in de emmer en ging zitten. 'Het was zo'n prachtige jas,' zei ze. 'Ik zag hem hangen in de Bijenkorf en ik dacht: die is voor Jessie. Ik ben 'm zogenaamd gaan passen en in het kleedhok heb ik met een tang de beveiliging eraf gehaald. Kind, ik kon zo naar buiten lopen. Maar wat ze tegenwoordig uithalen! Zit er een ding met verf op die jas. Ik zag het thuis pas zitten. Zodra ik het eraf wou halen, spoot die oranje rotzooi overal heen. Nou is 'ie bedorven, helemaal bedorven.'

'Ik heb toch een jas,' zei Jessie. 'Je weet wel, die mooie rooie, die je gepikt hebt in de Bonneterie.'

'Dat is toch geen bontjas.'

'Het was zo'n mooi jasje,' zei Piet treurig. 'Ik zag je er al in lopen, Jessie. Een plaatje.'

'Maar ik wil geen bontjas,' zei Jessie.

'Je denkt toch niet dat het echt bont is?' zei Spriet verontwaardigd. 'Een dood beest aan je lijf vind ik zielig. Het is namaakbont. Maar wel heel duur. Bijna zeshonderd euro.'

Spriet streek het haar uit haar ogen. Ze keek zo teleurgesteld dat Jessie medelijden met haar kreeg.

'Ik ben bij buuf geweest,' zei ze. 'Ik heb een beertje voor haar gepikt. Daar was ze dolblij mee.'

'Ik heb een taart voor haar,' zei Spriet. 'Uit de HEMA. Je had het moeten zien: ik hield het meisje bij de kassa aan de praat en Piet wandelde met de taart naar buiten.'

'Ik ga thee zetten,' zei Piet. 'Zonder thee is het leven niks.'

'Heb je er taart bij?' vroeg Jessie.

'Natuurlijk, mijn Duifje,' zei Piet. 'Voor jou is niks te veel.'

Bedelmeisje

Het werd een treurige thee.

'Het wordt steeds moeilijker,' zei Spriet. 'Overal camera's en controle. Vroeger ging ik even de winkel in en ik pakte wat ik hebben wou.'

'Toen had je die wijde jas nog met die enorme zakken,' zei Piet opgetogen. 'Mens, daar kon je bij wijze van spreken een televisie in kwijt.'

'Als je met een stelletje bent wil het nog wel lukken,' zei Spriet. 'Maar alleen... De handel wordt ook steeds minder. Ik geloof dat we wel zeven dvd-spelers, twaalf radio's, vijftien haardrogers, drie magnetrons, vijftien laptops en vijf foto-toestellen op zolder hebben staan.'

'Je moet wat bedenken,' zei Piet. 'Slim zijn. Een paar kerels hebben laatst alle televisies uit het ziekenhuis gehaald. De zusters hebben nergens naar gevraagd. In een uur hadden ze een busje vol! Maar ja, hoe ik ook denk, ideeën heb ik niet.'

Spriet zette haar kopje neer. Ze wreef het haar uit haar ogen. 'Ik heb wel iets bedacht,' zei ze langzaam. 'In Rome kun je for-tuinen verdienen met bedelen. Je gaat in een drukke straat zit-ten en voor je het weet ben je binnen.'

'Daar geloof ik niks van,' zei Piet. 'Als ik bedel zeggen ze: man ga werken. Je mankeert toch niks aan je handen?'

'Kinderen verdienen het meest. Als je doet of je blind bent of een arm of been kwijt bent, krijg je handenvol geld.'

Ze keek naar Jessie.

Jessie zei niets.

'Het lijkt me zo leuk: met z'n drieën naar Rome, een paar uur werken en dan lekker naar het strand.'

'In Rome is geen strand,' snauwde Jessie.

'Maar het is er wel lekker warm en we kunnen een heleboel leuke dingen doen. Ik trek je een ouwe gescheurde jurk aan en ik maak je gezicht zo op dat je doodsbleek van de honger lijkt... dat is toch om te lachen, Jes. Wat een avontuur!'

'Terwijl jij zit te bedelen hou ik een oogje in het zeil,' zei Piet. 'Dan overkomt je niks.'

'Ik doe het niet,' zei Jessie heftig. 'Ik ga niet bedelen.'

'Je moet niet kwaad worden,' zei Spriet. 'Het was maar een idee. Ik dacht dat je het leuk zou vinden.'

'Weet je wat?' zei Piet. 'Het is prachtig weer. We gaan een pilsje pakken op een terras. Kom op, kinderen, geen gezeur meer!'

Een kanjer

Ze stonden in de schaduw en keken naar de volle terrassen aan de overkant. 'Misschien gaan er gauw mensen weg,' zei Spriet. 'Vind je het niet erg om een tijdje te moeten staan, Jessie?'

'Ik ben al blij dat ik niet hoef te bedelen,' zei Jessie en ze gaf Spriet een knipoog.

Maar Spriet zag het niet. Ze keek naar de overkant en zei: 'Moet je die vrouw daar zien. Die heeft haar tas op de grond gezet. Zo voor het grijpen.'

'Zo'n vaart zal dat niet lopen,' zei Piet. 'Daar is het veel te druk voor.'

Hij had de woorden nog niet uitgesproken of ze zagen een jongen aankomen. Hij had een grijs pak aan en een keurige stippeltjesdas op een blauw overhemd. Rustig, een beetje rondkijkend liep hij langs de tafeltjes op het terras. Bij de tas bleef hij een seconde staan, bukte zich, pakte de tas op en liep rustig verder.

Het duurde even voor ze aan het tafeltje in de gaten hadden wat er gebeurd was.

'Mijn tas! Mijn tas! Hij heeft mijn tas gestolen!' gilde de vrouw opeens.

Twee dikke mannen aan het tafeltje sprongen op en zetten de achtervolging in. De jongen in het pak sprintte met ongelooflijke snelheid weg.

'Houd de dief!'

Er kwam een scooter aan. De jongen sprong achterop en was in een paar seconden verdwenen.

'Heb je gezien hoe 'ie aan kwam lopen?' vroeg Spriet. 'Hoe hij zich bukte? Niemand zag wat hij van plan was. Wat een kanjer. Ik wou dat ik het zo kon.'

'En dan die kleren,' zei Piet bewonderend. 'Als je er zo uit-ziet, gelooft niemand dat je een dief bent.'

De vrouw aan de overkant zat hartverscheurend te huilen. Ze kreeg water, een borrel, een tabletje, maar het hielp niet.

'Dat is de schrik,' zei Piet. 'Zo over.'

'Toch vind ik het zielig,' zei Jessie.

'Welnee kind,' zei haar moeder. 'Ze krijgt alles terug van de verzekering. En arm is ze niet. Kijk maar eens hoe ze eruit ziet.'

Er stonden opeens een heleboel mensen bij de huilende vrouw.

'Ik denk niet dat er gauw een tafeltje vrijkomt,' zei Piet. 'Zullen we maar naar huis gaan?'

En dat deden ze.

Zielig

'Wat gezellig dat je langskomt,' zei de buurvrouw. 'Ik heb net chocola klaar.'

Ze liep naar de keuken, goot een straal chocomel in een pannetje en warmde het op.

'Heerlijk,' zei ze. 'Daar kan ik toch zo van genieten.'

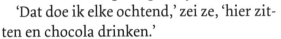

Ze zaten buiten op het plaatsje.

'Dat doe ik elke ochtend,' zei ze, 'hier zitten en chocola drinken.'

'Zou ik ook wel willen,' zei Jessie.

'Dat kan niet,' zei buuf. 'Je moet naar school.'

Jessie zei niets.

'Ik wil me er niet mee bemoeien, hoor,' vervolgde ze. 'Maar je bent al twee maanden thuis.'

'Mijn moeder vond de school niet goed,' zei Jessie vlug. 'Ik leerde er niks.'

'Zeker een zwarte school,' zei de buurvrouw. 'Ze zeggen dat die allemaal slecht zijn.'

Jessie nam een slok chocola en verslikte zich. Daardoor werd er niet meer over school gesproken.

'Weet je wat ik zo zielig vind? Dat jij alleen bent. Geen broertje of zusje, geen poes en geen hond. Zelfs geen opa en oma. Niks. Helemaal alleen. Ik zeg zo dikwijls tegen mijn zus: "Die Jes, hè, zo'n schat van een kind, wat zou ik die een lieve opa gunnen." En weet je wat ik nou van de week in de krant lees? Dat er een heleboel oude mensen zijn die dolgraag kleinkinderen willen hebben. Alleenstaande opa's zal ik maar zeggen, die een kleindochter willen adopteren. O Jes, dat zou iets voor jou zijn.'

'Maar ik ben toch geen kleuter!'

'Zo'n lief meisje als jij is leuker dan zo'n jengelend kind. Dat kunnen die mensen niet meer aan. En jij zou heel veel voor zo'n opa kunnen betekenen.'

Jessie dacht erover na. Ze zou graag een opa willen hebben. De ouders van Spriet waren dood. En de ouders van Piet waren erachter gekomen dat Piet en Spriet met stelen hun geld verdienden en wilden niets meer met hen te maken hebben. Jessie kende haar grootouders alleen van foto's.

'Soms moet je zo iemand een beetje helpen,' zei buuf. 'Ze kwijlen een beetje of ze kunnen hun plas niet ophouden. Maar ik weet zeker dat jij dat niet erg vindt. Ik zeg zo vaak tegen mijn zus...'

Door de kamer klonk muziek: *Oranje boven, Oranje boven...*

'Mijn zus!' gilde ze. 'Waar is mijn telefoon. Waar...'

Hij lag op de televisie.

De buurvrouw begon druk te praten. Ze trok een gezicht en Jessie begreep dat er aan het gesprek voorlopig geen einde zou komen. Ze stak haar hand op en ging naar huis.

Witte bammen

Tussen de twee kassa's lag een breed pad. Het was niet erg druk in de supermarkt en Piet liep met zijn halfvolle wagen onbetaalde boodschappen vanuit de winkel naar de hal. Bij de bloemen bleef hij staan. In de tussentijd hield Spriet een eind verder het meisje achter de kassa aan de praat.

'Waar zijn de witte bammen?' vroeg ze. 'Mijn dochter kan ze nergens vinden.'

Het meisje keek haar stomverbaasd aan. 'Witte bammen...' herhaalde ze. 'Witte bammen...'

'Ja,' zei Spriet en ze keek naar Piet die, op zijn wagen geleund, naar haar stond te kijken. Ze gaf hem een seintje dat hij naar buiten moest gaan, maar hij bleef staan waar hij stond.

'Ik weet niet...' zei het meisje.

Ze pakte de microfoon en riep: 'Weet iemand waar de witte bammen zijn?'

Niemand wist het.

Zelfs de chef niet.

'Het is snoep,' zei Spriet. 'Wit snoep.'

'O! Schoolkrijtjes!'

'Die zijn hard,' zei Jessie. 'Witte bammen zijn zacht.'

'Spekkies!' riep het meisje.

'Nee,' zei Jessie. 'Geen spekkies. Ik bedoel witte bammen. U weet wel.'

'Nee,' zei de chef. 'Ik weet het echt niet. Heb je overal gekeken?'

'Overal,' zei Jessie. 'Echt waar.'

'Bij de HEMA hebben ze ze wel,' zei Spriet strijdvaardig. 'Ik koop ze daar wel.'

Terwijl de chef en het meisje aan de kassa druk aan het praten waren, liepen ze naar buiten.

'Waarom bleef je daar nou staan?' vroeg Spriet. 'Ik was doodsbang dat ze naar je kassabon zouden vragen. Het zweet liep uit mijn schoenen.'

'Ik wachtte op mijn vrouw en mijn dochter,' zei Piet plechtig. 'Dat doen dieven niet.'

Hij laadde de boodschappen in de auto.

'Ik vind die witte bammen een vondst,' zei Spriet. 'Morgen gaan we naar Jamin. Jes en jij vragen naar witte bammen en ik kom met kersenbonbons thuis.'

'Die heb ik al gekocht,' zei Piet. 'Twee zakken van een pond. Bij de thee. Zonder thee is het leven niks.'

Schrik

'Er is een man voor jullie aan de deur geweest,' schreeuwde buuf onder aan de trap.

'Wat wou 'ie?'

'Dat weet ik niet, hoor.'

'Een kennis?' vroeg Piet.

'Dat geloof ik niet, nee. Zulke kennissen hebben jullie niet.'

'Hoe zag 'ie er uit?'

'Een stijve hark. Zo'n stille van de politie. Je weet wel.' Buuf gierde van het lachen.

Spriet verstijfde.

'Wat zei hij?'

'Hij zou terugkomen. Ik ga nu boodschappen doen. Ik zie jullie nog wel.' Ze sloeg de deur achter zich dicht.

'Het is vast een rechercheur,' zei Spriet toonloos. 'Als ze straks huiszoeking komen doen en ze vinden al die rotzooi op zolder... We zijn erbij, Piet.'

Piet lachte. 'Doe niet zo dramatisch, Spriet. Haal je nou niet van alles in je hoofd. Als ze huiszoeking willen doen, waren ze hier allang geweest. Ze komen je echt niet van tevoren waarschuwen. Wind je niet zo op, schat.' Hij gaf haar een zoen en sloeg zijn arm om haar heen.

Spriet liep de kamer in.

'Ze is net een ongerust meisje,' zei hij tegen Jessie. 'Maar er is geen reden tot ongerustheid. We gaan thee drinken. Met kersenbonbons.'

Maar Spriet bleef anders dan anders. Ze beet voortdurend op haar lip. Ze krabde om de paar seconden op haar achterhoofd en ze zat geen moment stil. Alles aan haar wiebelde.

'We moeten de boel kwijt,' zei ze een paar keer achter elkaar. 'Echt waar.'

Ineens had Jessie een idee. 'We gaan het verkopen. Op internet.'

'Fantastisch! Ik zal eens kijken bij de magnetrons,' zei Piet en hij pakte zijn laptop. Het beeldscherm lichtte op. De geadverteerde magnetrons vlogen voorbij. 'Niks waard. Moet je horen: een combi voor twintig euro. Zo goed als nieuw! Daar hoeven we niet aan te beginnen.'

Spriet deed haar best, maar ze bleef gespannen. Ze stond in de keuken alsof ze niet wist wat ze kookte. Ze was er en ze was er niet. Ze had opeens rimpels tussen haar wenkbrauwen.

'Denkrimpels,' zei Piet.

Ze ging vroeg, met hoofdpijn, naar bed.

'Ze is zo'n gevoelig meisje,' zei Piet. 'Daardoor kan ze soms zo overdreven reageren. Zullen wij een spelletje triktrak doen?'

'Goed,' zei Jessie.

Ze wist niet of Piet gelijk had.

Probleem

Spriet was vroeger een leuk meisje. Ze hield van opwinding, avontuur en vooral plezier maken. Op school kreeg ze veel straf, want ze lette vaak niet op. Eigenlijk lette ze nooit op. Ze was altijd met haar gedachten ergens anders. Ze bleef twee keer zitten. Ze ging eerst naar de HAVO, toen naar een soort VMBO en iedereen was verbaasd dat ze toch haar diploma kreeg.

Spriet was altijd blij. Alsof ze geen verdriet kende. Ze hield van lachen, praten en eten.

'Het is ongelooflijk wat die naar binnen kan werken,' zei haar vader. 'Onbegrijpelijk dat ze zo mager als een spriet is.'

Haar ouders waren trots op haar. Want Spriet was lief, hulpvaardig en vrolijk. 'De man die haar krijgt is een bofkont,' zei haar moeder dikwijls.

En dat was Piet.

Ze waren meteen dol op elkaar. Ze waren zo verliefd, 'dat de stukken eraf vlogen,' zeiden de ouders van Spriet. Ze vonden Piet een lieverd, maar echt blij met hem waren ze niet.

Want Piet was onbetrouwbaar.

Hij stal en hij kwam in de gevangenis.

'Laat hem nou schieten,' zeiden ze, 'zo'n jongen kun je altijd nog wel krijgen.'

Dat vond Spriet niet.

Toen hij zijn tijd had uitgezeten, ging ze 's morgens vroeg naar de gevangenis en haalde hem af. Kort daarna trouwden ze. Piet kon geen werk krijgen en het duurde niet lang voor ze een stelend duo vormden. Spriet vond het spannend en avontuurlijk. Ze vond het een heerlijk leven. Soms kwam er een kink in de kabel. Wanneer ze bijna werden betrapt bijvoorbeeld. Of wanneer een diefstal mislukte en ze bijna niet te eten hadden.

Zelfs toen Duifje werd geboren hield het stelen niet op.

'Duifje, mijn duifje,' fluisterde Piet met tranen in zijn ogen toen hij haar voor het eerst in zijn armen hield. En binnen een paar uur had Duifje de mooiste wieg.

Piet begreep niet dat Duifje later geen Duifje meer wilde heten, maar Jessie. Gelukkig snapte Spriet het wel en het werd geen probleem.

Piet en Spriet maakten bijna nergens een probleem van.

Ze hielden niet van narigheid en gezeur. Ze wilden dat het leven leuk was, gezellig en prettig.

Maar wat Piet ook probeerde, hoe Jessie ook haar best deed, het hielp niet. Spriet zag er nu uit of ze al in de gevangenis zat.

Verschrikkelijk.

School

Een paar ochtenden later stond er een onbekende meneer voor de deur.

Hij belde één keer.

Spriet liep naar het raam en keek wie er voor de deur stond.

'Hij ziet eruit als iemand van de onderwijsinspectie,' zei Spriet. 'Jij naar boven, Piet. Jij kan je er beter niet mee bemoeien. Jij in

de kast, Jes.' Ze haalde de koffiekopjes van tafel en bracht ze naar de keuken.

'Waarom moet ik naar boven?' vroeg Piet. 'Ik ga veel liever in de kast.'

'Schiet op,' siste Spriet. 'Doe wat ik zeg.'

Jessie kroop in de kast in de huiskamer. Het was een ouderwetse kast met veel ruimte. Ze zette de deur op een kier.

Spriet stond voor de spiegel en kamde vliegensvlug haar haar.

De bel ging nog eens.

'Ja,' zei ze nijdig. 'Ik kom al.'

Ze trok aan het touw en de deur ging open.

Spriet daalde langzaam de trap af. Halverwege bleef ze staan. Ze knikte de meneer vriendelijk toe. Het was net of ze een ander mens was geworden. Een keurige, deftige mevrouw.

Even later zaten ze tegenover elkaar aan tafel.

'Uw dochter Duifje is twee maanden niet op school geweest.'

'Dat is juist,' zei Spriet vriendelijk.

'Maar dat kan niet. Duifje is leerplichtig. Zij kan niet zomaar wegblijven. Dat is strafbaar.'

Jessie keek door de kier.

Haar moeder zat vriendelijk, een beetje afwezig, te knikken.

'Die school was dermate slecht,' zei Spriet bekakt, 'dat ik haar thuis heb gehouden. Ze leerde er alleen verkeerde dingen.'

'En nu?'

'Ik heb thuis altijd les van gouvernantes gehad. Ik heb dus besloten om mijn dochter zelf les te geven.'

'Bent u daartoe bevoegd?'

'Natuurlijk. Ik heb mijn diploma's.'

'Mag ik die even zien?'

'Maar meneer,' lachte Spriet. 'Die moet ik zoeken. Die heb ik niet bij de hand.'

'Juist,' zei de meneer van het onderwijs. 'U geeft Duifje dus elke dag les.'

'Elke dag,' zei Spriet.

'Mag ik u dan vragen waar Duifje nu is?'

'Ze is met mijn man naar het Natuurhistorisch Museum. Dat hoort bij de les,' zei Spriet stralend.

De meneer van het onderwijs wist niet zo gauw wat hij zeggen moest.

'Is het zo in orde?'

'Ik denk het niet, mevrouw. Er is geen enkele reden waarom Duifje thuisonderwijs moet hebben. Een kind hoort op school, mevrouw.'

'Het was zo'n vreselijke school,' zei Spriet. 'Zooo ordinair. Op een dag is ze thuis gekomen met hoofdluis. Duizenden luizen. Ze liepen gewoon over de tafel.'

'Er zijn toch ook goede scholen? Denkt u maar eens aan de school van juffrouw Brandenburg.'

Spriet stond op. 'Ik laat u uit,' zei ze.

De meneer van het onderwijs pakte zijn tas, stond op en zei: 'U hoort nog van mij.'

'Graag!' zei Spriet.

Toen ze uit de kast kwam, wilde Jessie zeggen dat ze dolgraag naar school wilde.

Ze kreeg geen kans.

Spriet was niet stil te krijgen.

Handel

Piet had op internet een laptop aangeboden en in twee dagen waren ze allemaal verkocht. 'Terwijl de een de trap afliep, belde de ander op,' vertelde hij opgetogen. 'Ik moet gauw zien dat ik aan wat nieuws kom. Ik had geen idee dat het op internet zo goed zou gaan.'

Hij ging meteen op pad.

Spriet en Jessie bleven thuis.

'Zullen we vandaag een reken-les doen?' zei Jessie. 'Een spelletje eenentwintigen? Of monopoly?'

Spriet moest er niet om lachen.

Jessie deelde de kaarten, maar Spriet pakte ze niet op.

'Wat heb je toch? Heb je geen zin?'

'Ik weet het niet,' zei Spriet. 'Ik maak me ongerust over Piet.'

'Waarom?'

'Hij kan zo onvoorzichtig zijn. Het is onzin natuurlijk, maar ik heb een vervelend voorgevoel.'

En dat bleef.

Ze had geen zin om te kaarten. Ze begon van alles en maakte niets af. Ze wilde chocola maken, maar ze kwam er niet toe. Ze bleef geen moment zitten. Ze keek telkens op haar horloge en liep naar het raam om te kijken of hij er al aan kwam. Er zat een dikke ongerustheidrimpel tussen haar wenkbrauwen en ze wreef voortdurend het haar uit haar ogen.

'Hè Spriet,' zei Jessie ten slotte, 'ga zitten en doe gewoon. Piet loopt niet in zeven sloten tegelijk.'

Spriet beet op haar lip.

Jessie gaf haar een zoen en maakte een beker oploskoffie. Ze voelde zich opeens een beetje de moeder van haar moeder. Ze werd zelf ook ongerust. Stel je voor dat Piet betrapt was bij het stelen van een laptop. Dan zat hij nu op het politiebureau. En dan kwamen ze natuurlijk huiszoeking doen.

Ze stelde zich voor hoe dat zou gaan: agenten die net als op de televisie de deur insloegen en met het geweer in de aanslag de trap op stormden. Ze zouden de hele boel overhoop gooien en natuurlijk van alles vinden. Niet alleen de mooie spullen op zolder, maar ook alle andere dingen die Piet en Spriet in de loop van de tijd hadden gepikt. Misschien zouden ze wel geboeid naar de gevangenis worden vervoerd in zo'n vreselijke politieauto. Hoewel... kinderen werden niet opgesloten. Die kwamen in een kindertehuis.

Het zweet brak haar uit en ze werd net zo onrustig als Spriet. Ze liep naar het raam en zag de buurvrouw uit haar auto stappen. Buuf wees op haar voordeur. Jessie schudde haar hoofd. Ze had nu geen zin. Hoe gezellig het ook altijd bij buuf was.

Net toen ze zich probeerde voor te stellen hoe het zou zijn om een kind van buuf te zijn, hoorde ze de sleutel in het slot en kwam Piet de trap op.

Spriet liet een diepe zucht horen.

'Waar bleef je zo lang? Is alles goed gegaan?'

'Niet helemaal,' zei Piet. 'Ik wou met m'n laptoppie naar buiten gaan, toen die stomme winkeljongen me vroeg of ik al betaald had. Nee, zei ik. Natuurlijk niet. Ik voel of dat ding niet te zwaar is. En dat geloofde hij! Maar ja, toen waren mijn kansen natuurlijk verkeken. Ik heb wel wat anders.'

Uit de diepe zakken van zijn regenjas haalde hij een dunne

zijden sjaal voor Spriet en een T-shirt voor Jessie. 'Ik hoop dat 'ie past, schat.'

Spriet had niet veel aandacht voor haar sjaal.

'Ik was echt ongerust,' zei ze. 'Waarom ben je zo lang weg-gebleven?'

'Dat zal ik je vertellen,' zei Piet. 'Maar je moet niet schrik-ken.'

Vrienden

'Ik was vlak bij huis toen ik opeens Siem Spikkel tegenkwam,' zei Piet.

'Ken ik niet. Wie is dat?'

'Een vriend van vroeger, Spriet. Doe nou niet zo opgewonden. Er is niks aan de hand. Gewoon een gezellig praatje met een vriend.'

'Siem Spikkel...' zei Spriet. 'Nou je het zegt... heel vaag herinner ik me die naam, maar waarvan... waarvan dat weet ik niet meer.'

'Van vroeger,' zei Piet.

'Ik weet het al,' zei Spriet. 'Jullie hebben samen in de bajes gezeten.'

'Daar hebben we elkaar leren kennen,' zei Piet. 'Hij zat daar voor een inbraakje. We hebben een kopje koffie met elkaar gedronken enne... nou ja, ik zal het maar zeggen, Spriet, hij heeft een mooi handeltje. Niet van dat kleine gedoe, nee, echt een lekkere kraak, zo eentje waar we behoorlijk wat aan verdienen.'

Spriet werd vuurrood.

Achter elkaar wreef ze haar haar uit haar ogen. Het leek wel of ze niet kon ophouden.

'Het is groot werk,' vervolgde Piet. 'We doen er niemand kwaad mee. En daarna zijn we rijk.'

Jessie had Spriet nog nooit zo vuurrood gezien.

'Wie doen er nog meer mee?'

'Een paar jongens van vroeger. Je weet wel.'

33

'Maar Piet,' schreeuwde Spriet, 'dat is de onderwereld. Dat doe je toch niet! Dat je nou vroeger zo stom was. Maar nu! Een beetje stelen vind ik niet erg, maar dit is een dieven-bende. Die jongens maken elkaar af waar je bij staat. Je leest toch kranten!'

Piet keek verslagen voor zich uit.

'Ik doe het toch voor jou, Spriet. Voor jou en Duifje. We hebben nu wel weer wat geld, maar dat is zo op. Hoe moeten we verder? Je zegt zelf dat het iedere dag moeilijker wordt. De Bijenkorf barst van de rechercheurs. Allemaal in burger, zodat je ze niet herkent. En dan overal die camera's. En we moeten toch eten, Spriet. Zeg nou zelf...'

 'Ik wil het niet. Als die Siem Spikkel hier één voet in huis zet, gooi ik hem de trap af.'

Als Spriet zo deed, was er niets meer met haar te beginnen.

'Goed,' zei Piet berustend. 'Ik zeg het wel af.'

'Had je dan al een afspraak?'

'Vaag,' zei Piet vaag.

Toen ging de bel. Drie maal achter elkaar.

'Mijn zwager zegt dat jij een laptop te koop hebt,' riep buuf, terwijl ze de trap op kwam.

'Verkocht,' zei Piet.

'Dan kom ik toch even boven. Ik heb nog iets anders.'

Iets anders

Piet was uit zijn humeur.

Hij gaf brommerige antwoorden en na een tijdje liep hij de kamer uit.

'Met z'n verkeerde been uit bed gestapt,' zei Spriet. 'Niks van aantrekken, buuf.'

Jessie was altijd weer verbaasd hoe snel Spriet kon veranderen. Van haar kwaadheid was niets meer te merken.

'Laat hem zijn gang maar gaan,' zei buuf. 'Ik heb iets voor ons vrouwen.'

Jessie pakte haar boek en ging bij het raam zitten lezen. Soms had Spriet opeens iets van 'potjes met grote oren' en werd Jessie weggestuurd, of ze begon gewoon over iets anders. Als ze las, had ze de meeste kans dat Spriet haar vergat.

'Mijn deftige zus,' zei buuf en ze begon een beetje zachter te praten alsof ze het over een groot geheim had, 'mijn deftige zus heeft een uitnodiging gekregen van Zonheuvel, je weet wel, het bejaardentehuis waar je alleen in komt met een dikke zak centen. Ze houden een soort open huis en zij is uitgenodigd. Maar ze heeft geen tijd en ik dacht, als wij nou eens samen gaan.'

'Sorry,' zei Spriet, 'maar aan een bejaardenhuis ben ik nog niet toe.

'Dat snap ik ook wel,' zei buuf. 'Ik dacht aan haar.' Ze knikte in de richting van het raam.

Jessie deed net of ze iets heel spannends zat te lezen.

'Ik heb er laatst nog met haar over gesproken: ze is zo alleen, zonder broertje of zusje, zonder opa's en oma's. Die mensen ook, Spriet. Die willen dolgraag een aangenomen kleinkind. Nou dacht ik: als we daar nou eens samen heen gaan. Dan zoeken we een aardige opa uit en... bingo! Leuk voor hem en voor haar. En misschien,' zei ze er met een knipoog achteraan, 'misschien voor jullie allemaal, want die mensen daar hebben centen, hoor. Anders kun je daar niet wonen.'

'Ik weet natuurlijk niet wat Jessie ervan vindt. Misschien wil ze wel geen opa.'

Jessie had in gedachten al een opa verzonnen. Een oude lieve meneer met wie je toch plezier kon hebben.

'Het lijkt mij wel leuk,' zei ze.

'Dan gaan we.'

Het huis

Zonheuvel was een prachtig oud huis. Het lag aan de rand van de stad, omringd door een schitterende tuin. Jessie had nog nooit zo'n tuin gezien. Overal waar je keek zag je bloemen en bloeiende struiken. Er stonden oude bomen en achterin stond een wit, geheimzinnig prieel. Tussen het groen lag een vijver met kwakende eenden.

'Hier wil ik wel oud worden,' had buuf een beetje afgunstig gezegd. Ze was met Spriet en een heleboel andere mensen het huis van binnen gaan bekijken.

Daar had Jessie geen zin in. Ze wilde liever de tuin in. Binnen met al die oude mensen leek het haar verschrikkelijk. Langs een pad met hoge varens liep ze naar het prieel. Het stond in een donker hoekje.

Binnen zat een man.

Zijn handen rustten op het zilveren handvat van een wandelstok. Hij had een raar hoedje op.

Jessie schrok niet eens. Dat is natuurlijk zo'n opa, dacht ze.

'Wat gezellig dat je me op komt zoeken.' Zijn stem was krakend en deftig. Jessie kende niemand die zo sprak. 'Heel vriendelijk, kind. Hoe heet je?'

Hij knikte toen ze haar naam noemde.

'Ga zitten. Ik kan je helaas niets aanbieden. Ik ben gevlucht, weet je, ik kan niet tegen zo'n horde mensen die aapjes komen kijken. Woont er iemand van jouw familie in het huis?'

'Nee,' zei Jessie. 'Ik heb geen opa's en oma's. We komen alleen kijken.'

'Naar die ouwe torren? Sommigen zijn zo gek dat ze aan het hek briefjes van honderd staan uit te delen. En kwijlen dat ze kunnen!' Hij moest lachen.

'Kan je schaken?' vroeg hij opeens.

'Nooit gedaan.'

Hij schudde afkeurend zijn hoofd.

'Dammen?'

Jessie knikte.

'Dammen is kinderachtig,' zei hij brommerig.

'Niet als je het goed doet.'

'Die slag is voor jou.'

Jessie had het gevoel dat hij haar wilde vragen om een keer te komen, maar opeens kwamen alle bezoekers het huis uit om de tuin te bezichtigen. In enkele ogenblikken was de tuin vol.

De oude meneer vloekte.

Op zijn stok steunend kwam hij overeind en liep het prieel uit. Hij wilde door de achterdeur naar binnen, maar hij kreeg geen kans.

'Daar is de baron!' riep de mevrouw van het huis. 'Ik dacht al, waar bent u gebleven.'

Hij gaf geen antwoord en sjokte zwijgend langs de gasten naar binnen.

'Ja, ja,' lachte de mevrouw. 'Zo gaat het hier soms.'

Jessie ging naar Spriet en Buuf.

Ze wilde geen opa.

Waarom wist ze zelf niet.

Opwinding

'Ik vind het niet handig, hoor,' zei buuf. Ze trok haar jas uit en ging zitten. 'Misschien heeft die man wel een leuke klein- zoon en had je later barones kunnen worden.'

Piet schonk thee in. 'Lijkt het je niet leuk om een opa te hebben, Jessie?'

Jessie haalde haar schouders op.

'Je hebt gelijk,' zei Piet. 'Wat moet je nou met zo'n vreemde kerel. Die wordt toch nooit eigen.'

'Dat is waar,' zei buuf. 'Maar Jessie is zo alleen: geen school, geen beest...'

'Ja,' snauwde Spriet. 'Nou weet ik het wel.'

Buuf zette haar kopje zo hard neer, dat Piet ervan schrok. 'Ik weet wat,' zei ze. 'Ik word Jessies oma. Dan kom je elke dag taartjes eten.'

Piet zei niets.

Spriet keek de andere kant op.

Jessie gaf buuf een zoen. 'Ik wil liever vriendinnetjes zijn, buuf.'

'Voor altijd,' zei buuf. 'Morgenochtend krijg je zelfgebak- ken taart met echte, zelfgemaakte chocolademelk. Om halfelf precies wordt er geschonken, maar je mag komen wanneer je wilt.'

'Zijn de ouders ook welkom?' vroeg Piet.

'Nee,' zei buuf stralend. 'Morgenochtend is alleen voor mijn vriendin Jessie. En nu ga ik.'

'Daar zijn we mooi klaar mee,' zei Piet, toen buuf de trap

af was. 'Ik vind buuf erg aardg, maar het moet niet te intiem worden. Dan gaat ze zich misschien met zaken bemoeien die haar niet aangaan.'

'Ik vind haar een schat. Dat vindt Spriet ook,' zei Jessie

Spriet was er met haar gedachten niet bij.

'Dat bejaardenhuis was niet zo'n gek idee van buuf. Wat daar te halen is! Maar je moet natuurlijk wel slim zijn. Laatst las ik in de krant dat een meisje een oude opa zo had ingepalmd dat ze kort voor zijn dood met hem getrouwd is. Om de erfenis natuurlijk. Ik heb erg mijn best gedaan. De directrice lust wel limonade van me. Ze heeft me al gevraagd of ik niet af en toe een beetje helpen wil. Met iemand ergens een kopje koffie gaan drinken en zo. Geloof maar dat ik hun geld goed beheren zal.'

'Doe nou maar niet zo stoer,' zei Piet. 'Als je die mensen eenmaal kent, weet je niet wat je voor ze doen moet. Dan ben je nog erger dan het Leger des Heils.'

Het werd een knuffelparade en Jessie ging gauw weg. Voor Piet of Spriet iets kon vragen, was ze al de trap af, de deur uit.

Een echt plan had ze niet.

Ze liep de straat uit, stak het plein met de terrassen over naar de binnenstad.

Ineens wist ze wat ze eigenlijk wilde: een cadeautje voor buuf. Alsof ook haar voeten het wisten liepen ze automatisch naar de winkel met kristallen prulletjes. Het was er vol dames die niet kiezen konden.

Jessie keek in de etalage.

Het beertje was weg.

Ze liep naar binnen. Drie mevrouwen stonden met elkaar te overleggen wat ze nemen zouden: het zwaantje, het hertje, het molentje of...

Het beertje stond helemaal apart.

Of het niet meedeed.

Jessie hing over de glazen toon-
bank. Met haar ene hand pakte ze het
molentje, met haar andere hand het
beertje.

'Wat kost het molentje?' vroeg ze.

Ze liet het beertje in haar zak glijden.

De winkeljuffrouw zag niets. Die had
het te druk met de dames die haar vroegen of ze een vlie-
gende zwaan had in plaats van een zittende: 'U weet wel, zo
eentje met gespreide vleugels.'

Jessie slenterde naar de uitgang. Wegwezen voor het beertje gemist werd. Er was geen alarm. Rustig en beheerst naar
buiten. In de smalle winkelstraat was het druk. Ze konden
haar vast niet meer vinden. Toch durfde ze niet om te kijken
terwijl ze naar huis liep.

Spriet en Piet vonden het beertje prachtig.

'Kijk eens hoe het glanst,' zei Piet. 'Dat heb je goed geko-
zen, Jes. Buuf zal er dolblij mee zijn.'

'Ja,' zei Spriet. 'Zoiets heeft ze vast niet. Zeg maar dat het
nog van mijn moeder was, want als ze het wil ruilen zijn we
de sigaar. Ze moet ook niet denken dat Jessie zulke dure dingen van haar zakgeld kan kopen.'

Toen buuf het beertje de volgende ochtend uitpakte, had
ze tranen in haar ogen.

'Wat mooi,' zei ze een paar keer achter elkaar. 'Je kunt zien
dat het echt oud is.'

Verkeerde dag

Spriet had een hekel aan brieven. Ze gooide ze het liefst ongelezen op een hoop. Een brief was meestal vervelend. Je moest betalen of je werd tot iets gedwongen.

Ook nu weer.

Piet raapte de brief van de mat. Hij las de envelop terwijl hij de trap op liep. 'Van de gemeente, Spriet. Maak jij hem maar open.'

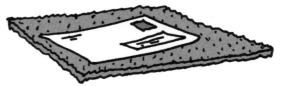

Spriet fronste haar wenkbrauwen. Ze wreef het haar uit haar ogen. 'Moet dat?'

Ze deed het. Even later begon ze onbedaarlijk te lachen.

'Moet je horen: *Onze leerplichtambtenaar heeft geconstateerd dat uw dochter Duifje nog steeds niet op school is geweest.* Alsof ik dat niet wist.'

'Lees nou verder,' zei Piet. 'Want ze laten het er vast niet bij zitten.'

'Ik geloof dat we een boete krijgen.' Spriet schoof de brief opzij. 'Maar die kunnen we niet betalen, dus we hoeven ons geen zorgen te maken.'

Dat deed Piet wel.

'Spriet, je weet toch dat we hier geen politie kunnen hebben.'

'Dacht je dat de politie op zolder gaat kijken als Duifje naar school moet?'

'Ik wil geen aandacht trekken.'

Spriet trok soms graag de aandacht. Ze daagde ook graag uit.

'Doe nou niet zo sukkelig, Piet. Je lijkt wel tachtig. Als die man komt, sta ik hem te woord. En dan eens kijken wie het wint.'

Piet was niet te overtuigen. 'Als je een boete niet betaalt, ga je de gevangenis in. Dat weet je toch?'

'Ja schat,' zei Spriet en ze wierp een kushand.

Hij verstopte zich achter de krant en probeerde te lezen. Het lukte niet.

Spriet sprong op. 'Ik ga naar Zonheuvel. Kijken of ik wat vangen kan.'

'Niet doen. Het is een verkeerde dag. Ik voel het.'

Spriet ging toch, tevergeefs.

Ze mocht niet eens naar binnen.

Kind

Jessie hield veel van Piet en Spriet. Toch dacht ze vaak: ik wou dat ze anders waren. Gewoner. Net als de ouders van andere kinderen.

Piet zei wel eens: 'Maar kind. Niemand is gewoon. Als je wist wat al die mensen doen en denken!'

Dat geloofde Jessie niet.

Andere ouders stuurden hun kinderen naar school. Ze gingen 's ochtends naar hun werk en kwamen 's middags thuis. Op zaterdag gingen ze boodschappen doen en met elkaar kleren kopen. En dan de vakanties! De verhalen die Jessie daarover gehoord had in de korte periodes dat ze op school zat. In de winter skiën en 's zomers lekker naar de zon.

Waarom bleven Piet en Spriet zo leven?

Gewoon geld verdienen deden ze niet. Een uitkering hadden ze niet, dus ze moesten wel stelen. Hoe vonden ze dat eigenlijk?

Jessie wist zeker dat Piet bang voor de politie was. Van Spriet wist ze dat niet. Spriet deed altijd wel stoer, maar als ze over vroeger vertelde, over haar ouders, hoe warm en veilig het bij haar thuis was, klonk haar stem opeens heel anders. Alsof ze naar die tijd terug verlangde.

En waarom deed ze zelf haar mond niet open? Waarom zei ze niet eerlijk dat ze dolgraag naar school wilde?

Ze probeerde het soms, maar Piet en Spriet luisterden niet. Die deden wat ze zelf wilden. En wat ze zelf leuk vonden, was ook leuk voor Jessie.

Was de hele dag thuis zitten zo leuk?

Opeens drong het tot haar door dat ze zich bij buuf veel veiliger voelde. Bij buuf was alles anders. Daar voelde ze zich op haar gemak. Precies zoals ze wilde zijn.

Toch wilde ze geen andere ouders.

Jessie wist opeens niet meer hoe ze zich voelde.

Soms was het prettig om kind te zijn.

Dan was het of je ouders je in een warme deken legden en je beschermden.

Maar niet altijd.

Br br

Het was vervelend dat Piet en Spriet de hele dag thuis waren. Want Jessie had een tientje nodig. En ze durfde er niet om te vragen.

In een winkeltje met tweedehands spullen had ze een beertje gezien. Een klein, schattig, ouderwets beertje van bruine stof. Het had een kale plek op zijn kop en twee oogjes die je echt aankeken. Die zeiden: ach Jessie, neem me alsjeblieft mee. Jessie wilde wel, maar ze had geen geld. Naast het beertje stond een vergeeld kaartje: BR BR € 10.

Het had ook geen zin om erom te vragen. Spriet en Piet zouden dat vast niet voor buufs berenverzameling over hebben. Ze moesten er een beetje om lachen, want de meeste beertjes van buuf vonden ze lelijk.

Jessie was al een paar keer in het winkeltje geweest. Zoveel spullen bij elkaar! Oude theekopjes, gebarsten schalen, speelgoed, stoelen en kasten, muziekinstrumenten. Je kon het zo gek niet bedenken of het stond, lag of hing er.

Het beertje zat voor het grijpen op een kastje bij de ingang. Maar Jessie kon het niet pikken. De winkelmevrouw stond al die tijd met haar armen over elkaar toe te kijken. Ze liet Jessie geen seconde uit het oog. Toch wilde Jessie het hebben. Het was een bijzonder beertje. Buuf zou er heel erg blij mee zijn.

Spriet en Piet zaten allebei te lezen. Piet in de krant, Spriet in een boek. Haar tas lag halfopen naast haar stoel. Jessie kon haar portemonnee zien. Een rode die ze een tijdje terug in de Bijenkorf had gepikt.

Om drie uur zei Piet: 'Ik ga thee zetten. Zonder thee is het leven niks.'

Hij wilde opstaan, maar Spriet was hem voor.

'Ik ga wel even.'

'Goeie thee, hè,' riep Piet. 'Geen uilenpies.'

Spriet gaf geen antwoord en Piet las verder.

Jessie ging naast de tas zitten. Terwijl ze naar Piet keek, pakte ze de portemonnee. Langzaam schoof ze hem de tas uit. Opeens liet Piet de krant zakken. Hij sloeg een bladzijde om en las verder. Jessie deed geruisloos het vak met papiergeld open. Er zat niet veel in. Drie bankbiljetten van tien. Het bovenste trok ze eruit. Vliegensvlug stopte ze de portemonnee in de tas terug. Ze vond het niet aardig van zichzelf, maar ze wilde het beertje hebben. En Spriet zou het toch niet merken. Die was slordig.

'Ik ga nog even weg,' zei ze na de thee. 'Ik heb voor buuf een leuk beertje gezien.'

'Voorzichtig hoor,' zeiden Spriet en Piet: 'Zou je dat nou wel doen? Buuf heeft toch beertjes genoeg?'

Jessie was de trap al af.

Triomfantelijk ging ze de winkel in.

Het beertje zat nog steeds op het kastje.

Het was zo lief! En zo zacht!

Je kon voelen dat heel vroeger kinderen veel van hem gehouden hadden. Misschien hadden ze dat plekje op zijn hoofd wel kaal gezoend.

De winkelmevrouw was niet erg vriendelijk.

'Wat betekent br br?' vroeg Jessie.

'Bruine Beer natuurlijk. Wat anders?'

Jessie ging op een holletje naar buuf.

Ze vond het bijna jammer om het beertje af te staan. Maar buuf was er zo blij mee, dat ze geen spijt had.

'Arm kind,' zei buuf. 'Dat mag je niet meer doen. Je houdt op die manier geen zakgeld over.'

Les

Piet gaf Jessie een paar keer per week les. Hij wist bijna alles van tiendelige breuken, soortelijk gewicht en communicerende vaten, maar hij vond het moeilijk om uit te leggen.

Gelukkig snapte Jessie alles heel gauw, maar plezierig samenwerken werd het niet. Het duurde nooit lang of ze zaten zich allebei te ergeren.

Het was een warme ochtend. De ramen stonden open en de zon scheen de kamer in. Piet had ingewikkelde sommen gemaakt. Van die lange breukensommen: zevenachtste erbij, drietiende eraf vermenigvuldigd met tweederde. Het waren rare sommen, maar Jessie had ze zo af. Piet had een antwoordenboekje en controleerde ze. Allemaal goed!

'Dan gaan we nu...' begon hij.

'Lekker in de zon zitten,' zei Jessie. 'Ik heb geen zin meer, Piet.' Ze liep naar het raam en keek naar beneden. Op het plaatsje zat buuf koffie te drinken.

'Zal ik even komen?' schreeuwde Jessie.

Naast haar stak Piet zijn hoofd uit het raam. 'Nee buuf, er moet gerekend worden. We zijn net begonnen. Het is nog lang geen pauze.'

'Ik kom, hoor!'

'Nee Jessie,' zei buuf. 'Je moet naar je vader luisteren. Rekenen is erg, erg belangrijk.'

Jessie zuchtte. Was Spriet er maar. Spriet begreep waarom ze zich aan Piet ergerde. Hij kon zo slecht uitleggen.

Gapend liep ze terug naar de tafel.

'Vind je het zo erg?' vroeg Piet.

Hij keek zo beteuterd, zo teleurgesteld, dat Jessie bijna medelijden met hem kreeg. 'Nee hoor,' zei ze, waarop Piet natuurlijk vroeg: 'Waarom doe je dan niet beter je best?'

'Omdat...' wilde Jessie nijdig zeggen, toen beneden de voordeur open ging.

'Ik ben er!' gilde Spriet en alsof ze danste kwam ze de trap op. 'Kijk eens wat ik heb!'

Ze droeg een hagelwit linnen jasje.

'Ik koop niet graag bij C&A,' zei ze. 'Maar dit kon ik niet laten liggen. In de paskamer heb ik de beveiliging eraf geknipt en ik heb het gewoon aangedaan. Toen heb ik een bloes uitgezocht en ben ik naar de kassa gegaan. Niemand vroeg naar het jasje!'

'Heb je die bloes echt afgerekend?' vroeg Piet ongelovig.

'Ja, maar ik heb hem een kwartier later teruggebracht. En ik heb het geld teruggekregen. Mooi jasje, hè.'

'Het zit een beetje krap,' zei Piet.

'Het is ook voor Jessie. Wit staat haar zo mooi! Je moet het even passen.'

'Ik wil geen wit jasje,' zei Jessie.

'Wat wil je dan?'

'Ik wil naar school,' zei Jessie. Ze wist niet waar ze de moed vandaan had gehaald, maar ze was opgelucht dat ze het gezegd had.

Spriet liet zich in een stoel vallen.

'Wie wil er nou naar school?'

'Ik.'

'Wees toch blij dat je eraf bent,' zei Spriet. 'Een school is verschrikkelijk. Je kunt net zo goed in de gevangenis zitten.'

Piet protesteerde.

'Begin jij nou ook nog eens,' mopperde Spriet. 'Ik was

van plan om te gaan reizen. Samen in een camper. Dat is toch oergezellig.'

'En waar wou je die camper vandaan halen?'

'We verkopen onze auto. We verhuren ons huis en daarvan kopen of huren we een camper. Dan gaan we naar Frankrijk, naar Italië. Dat is toch leuker dan zo'n stomme school?'

Jessie zei niets.

'Ik zie het al,' zuchtte Spriet. 'Er is niets met jullie te beginnen.'

Anders

Toch ging Spriet er snel achteraan. Ze belde juffrouw Brandenburg en maakte een afspraak voor de volgende dag.

'Was ze aardig?'

'Vind ik wel ja.'

Dat was nou echt Spriet, dacht Jessie. Ze was ertegen, maar als het voor een ander was, deed ze toch haar best. Ze wilde haar een zoen geven, maar Spriet liep naar de keuken.

Jessie ging naar haar kamertje.

Ze bedacht hoe fijn het was om weer naar een gewone school te gaan, gewoon les te krijgen en vriendjes te hebben. Ze vond het niet erg om alleen te zijn, maar het was soms wel saai. Nu werd alles anders. Als Spriet er geen stokje voor ging steken.

Maar dat was ze niet van plan. Ze klopte op de deur, kwam binnen en ging naast Jessie op haar bed zitten.

'Je wilt echt graag naar school, hè?'

Jessie knikte.

'Ik hoop dat het deze keer goed gaat. Die andere school was zo verschrikkelijk.'

Jessie vond de school helemaal niet verschrikkelijk, ook al kon de meester geen orde houden.

'Zo burgerlijk,' zei Spriet.

Stilte.

'Weet je waar ik me zo ongerust over maak,' vervolgde Spriet na een tijdje, 'dat het tegenvalt. Nu verheug je je erop. Je denkt dat alles anders wordt, maar... Misschien zijn het vervelende kinderen...'

'Het is wel een dure kakkerschool,' zei Jessie. 'Dat is waar.'

Spriet lachte. 'Daar heb ik geen bezwaar tegen. Maak maar veel vriendjes. Wie weet hoeveel plezier we daar nog van hebben!'

'Moet ik morgen mee naar die juffrouw Brandenburg?'

'Natuurlijk. De zakelijke dingen heeft ze me al wel verteld, maar we gaan samen kennismaken.' Spriet sprong op. 'Ik had lieve ouders,' zei ze bij de deur, 'maar alles was altijd hetzelfde. Vooral bij mijn moeder. Ben ik ook zo?'

'Nee,' antwoordde Jessie. 'Bij jou gaat het altijd anders dan je denkt.'

'Daar ben ik blij om,' zei Spriet. 'Niets is zo erg als saaie ouders.'

Kennismaken

Vrijdagmiddag, om kwart over twee, werden ze door juffrouw Brandenburg verwacht. Het was prachtig weer en Jessie wilde haar spijkerbroek en een blauw T-shirt aan.

Maar Spriet zei: 'Geen spijkerbroek.' Jessie moest het witte jasje van C&A en een wit rokje aan. Met een blauwe bloemetjesbloes, die Spriet een dag tevoren ergens gepikt had. 'Staat veel beter,' zei ze. 'Het is tenslotte een kennismakingsbezoek.'

Spriet zelf zag er in een zwart broekpak verschrikkelijk keurig uit.

'Echt deftig,' zei Piet.

Jessie zei niets. Met een nors gezicht stapte ze in de auto. Ze wilde wel naar school, maar niet met zulke stomme kleren aan.

'Wees toch niet zo dwars,' zei Spriet op het laatst. 'Ik snap dat je het niet leuk vindt, maar ik kan er ook niks aan doen. Je moet nu eenmaal naar school, ook al had ik je veel liever thuis gehouden. Je zult zien dat je die juffrouw Brandenburg best aardig vindt.'

Dat was ook zo.

Ze zat achter een schrijftafel vol boeken en papieren. Op de grond slingerden ordners. Zelfs op de vensterbanken lagen papieren.

Juffrouw Brandenburg zag er een beetje raar uit. Ze had boven op haar hoofd een knotje haar, ze droeg een hooggesloten bloes ('uit het jaar nul,' zei Spriet later) en ze keek met

verschrikte ogen naar het beeldscherm van haar computer.

'Neem me alsjeblieft niet kwalijk,' zei ze gejaagd. 'Maar dat ding wil niet wat ik wil. Hij loopt vast.' Ze zuchtte van opluchting. 'O nee, hij doet het alweer. Ik zet hem meteen uit.'

'Misschien moet u een nieuwe hebben,' zei Spriet.

Jessie dacht aan de laptops van Piet. Jammer dat ze verkocht waren.

'Ik vind computers ook moeilijk,' zei Spriet. 'Ik...'

'Jessie kan er vast beter mee omgaan dan ik,' zei juffrouw Brandenburg snel. 'Al mijn leerlingen kunnen het beter. Ik ben er ook te oud voor. En te chaotisch.'

Ze keek Jessie aan.

Ze had lieve, vriendelijke ogen.

'Het is vervelend, maar ik moet je een klein testje afnemen om te kijken of je echt naar groep acht kunt.'

'Dat kan ze zeker,' zei Spriet met haar deftigste stem. 'Mijn man en ik hebben haar zelf lesgegeven. Ik was gewend om thuis les te krijgen, weet u, ik had vroeger een Franse gouvernante en...'

'Wat weet je van breuken?'

Nu kwamen de verschrikkelijke sommen van Piet goed te pas.

'En geschiedenis?'

Alles, behalve aardrijkskunde, pakte goed uit. Jessie voelde zich zo op haar gemak dat ze heel precies kon uitleggen wat

ze wel en niet wist. Juffrouw Brandenburg knikte goedkeu-
rend.

'Dat wordt groep acht,' zei ze. 'Daar ben ik blij om, want
dat is een leuke klas. Je zult je er thuis voelen. Ik ga je meteen
inschrijven. Als jij wilt natuurlijk.'

Ze pakte papier en pen en bukte zich.

Het bovenste knoopje van haar bloes sprong los en...

Veel geld

De hand van juffrouw Brandenburg vloog naar haar hals. Ze voelde aan haar ketting. Een ketting vol schitterende gekleurde stenen.

'Ik dacht dat ik hem kwijt was,' zei ze. 'Ik ben nog niet aan die ketting gewend en ik ben doodsbang dat ik hem zal verliezen.'

Spriet boog zich voorover. Met grote ogen keek ze naar de glanzende stenen.

'Wat mooi,' zei ze schor.

'Ik heb hem gisteren pas gekregen, geërfd van een oude tante.'

Spriet kon haar ogen niet van de glanzende stenen afhouden.

'Volgens mij is hij heel bijzonder,' zei ze.

'O ja, dat zei de notaris ook al. De ketting is van platina en dat schijnt nogal kostbaar te zijn.'

'Dat geloof ik,' stotterde Spriet.

Jessie zag dat ze bijna over juffrouw Brandenburg heen hing om de ketting beter te kunnen bekijken.

'Nu moet ik even precies je naam en je geboortedatum hebben,' zei juffrouw Brandenburg. 'Duifje? Ik dacht dat je Jessie heette.'

'Zo noemt ze zich. Ze is naar mijn grootmoeder vernoemd. Die had net zo'n soort ketting. Een collier noemde ze het. Gekregen bij haar huwelijk.'

Jessie gaf haar onder de tafel een trap.

Het hielp niet.

Het was of Spriet niets voelde. Ze leek betoverd door de ketting. Haar ogen schitterden. Op haar wangen had ze rode vlekken van opwinding. 'Hij is echt schitterend. Een vermogen waard, denk ik.'

'Dat zei de notaris ook al. Maar dat kan me niet schelen. Ik geef niets om sieraden, helemaal niets. Ik ben bovendien heel slordig. De notaris heeft hem meteen voor mij verzekerd.'

Spriet wilde iets zeggen, maar Jessie was haar voor.

'Ik vind Duifje niet leuk. Ik...'

'Dat begrijp ik. Het is ook een ouderwetse naam. Maar wel lief, vind ik.'

'Maar...'

'Ik denk dat hij wel twintigduizend euro waard is,' vervolgde Spriet. 'Het collier van mijn...'

Jessie begon zo hard te kuchen dat juffrouw Brandenburg haar bezorgd aankeek.

Hoe Spriet het voor elkaar kreeg begreep Jessie niet, maar in een oogwenk had ze de aandacht terug.

'O juffrouw Brandenburg,' zei ze lief. 'Wat bijzonder om zoiets te krijgen!'

'O, ja,' zei juffrouw Brandenburg. 'Ik ben echt blij dat hij mij zo lief is gegeven. Daarom draag ik hem ook. Maar als ik eerlijk ben… bij mijn zuster zou hij meer op zijn plaats zijn geweest. Die is dol op sieraden. En ik ben doodsbang dat ik hem verlies.'

'Hij is echt schitterend,' zei Spriet. 'Zulke juwelen zijn er niet veel. U doet hem thuis toch wel in de brandkast, hoop ik?'

'Die heb ik niet. Ik…'

Jessie voelde zich alsof honderd pannenkoeken en twintig liter ijs in haar maag begonnen te draaien en langzaam, langzaam naar boven kwamen.

'Moet ik nog iets meenemen?' vroeg Jessie.

'Nee hoor. Kind, wat zie je bleek. Je hebt toch geen kou gevat?'

Jessie wilde antwoord geven, maar Spriet vervolgde: 'Mijn moeder heeft haar collier verloren. Zomaar, ineens was ze het kwijt. We dachten eerst nog dat het gestolen was, maar…'

Ze hield even op.

'Wanneer mag ik komen?' vroeg Jessie.

'Je zou bij wijze van spreken kunnen blijven. Is het niet een idee om…'

'Ze had het echt verloren,' vervolgde Spriet. 'Het slot was niet goed. Dat bleek pas toen we het teruggevonden hadden. U mag wel…'

Juffrouw Brandenburg stond op.

'Zullen we even naar de klas gaan om kennis te maken?'

Jessie aarzelde.

Ze wilde zo gauw mogelijk weg. Geen gepraat meer over kettingen.

'Kom dan maar gewoon maandagochtend. Ik verheug me op je komst.'

Jessie was woedend. Op weg naar de auto had ze Spriet het liefst uit willen schelden. Ze snapte zelf niet waarom ze alleen maar zei: 'Ik vind juffrouw Brandenburg erg aardig. Net buuf.'

Spriet hoorde haar niet.

'Ik moet die ketting hebben,' zei ze. 'Ik zou in één klap binnen zijn, Jes. Zij zou er geen verdriet van hebben. Ze zou een bom duiten van de verzekering krijgen. Om die ketting geeft ze geen zier. Niks.'

De kakkerschool

Spriet had een nieuwe boetiek ontdekt. Ze had wat rondge-snuffeld, een praatje gemaakt met de eigenares en voor Jessie een prachtig, donkerblauw spijkerpak gepikt.

Het paste precies.

'Nu nog schoenen en een bloes,' zei Spriet. 'Het is een echte kakkerschool. Je moet er goed uitzien.'

Jessie voelde zich net een aap die werd aangekleed. Ze wilde liever haar gewone kleren aan, maar dat mocht niet van Spriet: 'Je moet er niet armoedig bij lopen. Dan voel je je zo ongelukkig. Dat weet ik nog van vroeger.'

Jessie liet het allemaal over zich heen komen. Als het om kleren ging, kon ze toch niet tegen Spriet op.

De bloes lukte niet, maar de schoenen wel. Diezelfde middag kwam Spriet met prachtige gympen thuis. Oranje, blauw, bruin. 'Alle kleuren van de regenboog zitten erin,' zei Piet bewonderend.

'Van een beroemde ontwerper!' zei Spriet tevreden. 'Die zijn duur hoor!'

Jessie was er dolgelukkig mee. Zulke leuke schoenen had ze nog nooit gehad. Maar dat pak! Dat was veel te netjes.

'Zo ga je toch niet naar school, Spriet.'

'Op die school wel,' zei Spriet.

En Piet werd een beetje nijdig: 'Wees toch blij dat je zulke mooie kleren krijgt, Jessie. Als je wist hoe wij er vroeger bij liepen!'

'Ik ga nog even naar de Bijenkorf,' zei Spriet. 'Dat kan nog net. Ik heb er een enige bloes gezien. Lichtblauw met zo'n grote kraag. Past precies bij je pak.'

'Ik wil geen bloes,' snauwde Jessie. 'Ik trek een T-shirt aan. Een gewoon wit T-shirt.'

Spriet streek het haar uit haar ogen.

Piet ging naar de keuken.

Toch had Jessie geen zin om sorry te zeggen. Er viel een ongemakkelijke stilte. Jessie pakte een boek en las niet.

Spriet zat naar buiten te kijken en zag niets.

Piet kwam na een tijdje met een pot thee de kamer in en zei: 'Zonder thee is het leven niks.' Hij begon in te schenken. 'Nu geen gezeur meer, dames. Ik snap dat je er tegenop ziet om naar een nieuwe school te gaan, schat, maar Spriet bedoelt het goed.'

'Weet je wat we doen?' zei Spriet. 'We gaan je maandag brengen. Met de auto.'

Iets ergers kon ze niet bedenken, maar Jessie zei niets. Doe ik maandag nog wel, dacht ze.

Maar ze kreeg geen kans. Piet had de auto voor de deur gezet en Spriet had zich van top tot teen opgetut.

'Jullie gaan toch niet mee naar binnen?' vroeg Jessie. 'Ik ben geen kleuter.'

'Nee hoor,' zei Piet en ze reden weg.

Bij de school was er bijna geen doorkomen aan. Overal moeders, die kleuters uit gloednieuwe, veel te dure auto's trokken.

'Het lijkt wel een autoshow. Ze moeten ons ouwe koekblik maar niet zien,' zei Piet.

Stapvoets worstelde hij zich langs de auto's die kriskras overal geparkeerd stonden. Aan de andere kant van het pleintje stapte Jessie uit.

64

De bemoedigende woorden van Piet en Spriet hoorde ze niet of wilde ze niet horen. Ze ging er als een haas vandoor. Toen de auto de hoek om was, stond ze stil. Ze luisterde naar het gejoel van de kinderen. Ze zuchtte en begon te lopen. Voetje voor voetje. Pas bij het schoolplein begon ze anders te lopen. En ze probeerde te kijken alsof het haar niets kon schelen.

Groep leuk

Piet zei af en toe: 'Jongens zijn vervelend. Ze trekken aan je haar, plagen je en weten niet van ophouden. Soms moet je maar een beetje uit hun buurt blijven. ' En nu zat ze naast een jongen!

Juffrouw Brandenburg had gezegd: 'Alleen met aardrijkskunde ben je achter. Ik zet je naast Hans, die is heel erg goed in aardrijkskunde en wil je vast en zeker wel helpen.'

Hans ging een eindje van haar af zitten. Hij keek naar haar met twee ijskoude ogen. En een arrogant gezicht dat hij had! Hij had nog geen twee woorden gezegd of hij pakte een vel tekenpapier en begon te tekenen. Alsof ze lucht was!

Wat een ijskonijn!

Het was trouwens een rare klas. Het leek wel of iedereen deed waar hij zin in had. Juffrouw Brandenburg was met van alles bezig behalve lesgeven.

Ze had Jessie eerst aan de klas voorgesteld: 'Dit is Jessie. Ze heeft voornamelijk thuis les gehad. Ze moet nog een beetje wennen aan een echte school.'

De kinderen zaten haar een beetje stom aan te kijken. Net of ze zich niet bewegen konden. Er zaten twee zwarte meisjes aan tafeltjes achterin. Juffrouw Brandenburg had haar al verteld dat ze een tweeling waren en dat hun vader ambassadeur van een of ander Afrikaans land was. Rijke, deftige kinderen dus.

Jessie bleef maar wat voor zich uit zitten staren. Ze kon niets doen. Ze had niets bij zich. Niet eens een boek.

Ze zag dat juffrouw Brandenburg naar haar keek.

Ze wenkte haar en Jessie slofte naar voren.

'Dit is het vrije kwartiertje,' fluisterde juffrouw Brandenburg. 'Dan mag je doen wat je wilt. Rekenen, taal, lezen of tekenen. Wij hebben een gezellige klas, Jessie. Niet groep acht, maar groep leuk.'

Ze vond het zelf zo geestig dat ze erom moest lachen en Jessie lachte stom terug. Daarna liep ze weer naar haar plaats en – hoe was het mogelijk! – Hans keek haar aan en legde het tekenvel voor haar neer.

'Ik heb alvast wat grondsoorten voor je getekend,' zei hij. 'Ik heb het gauw gedaan, maar dan zie je tenminste waar we mee bezig zijn. Groen is bosgrond, grijs is klei en geel is zandgrond. Kom je eruit?'

'Ja hoor,' zei Jessie. 'Dank je wel.'

'Het stelt de kaart van Friesland voor,' grinnikte hij. 'Het blauw is water, maar dat snap je wel.'

Ze vond hem opeens erg aardig.

'Ik weet eigenlijk niks van grondsoorten af,' zei ze. 'Dat heb ik niet geleerd.'

'Stokpaardje van haar,' zei hij.

'Heeft ze er veel?'

'Een heleboel. Maar haar grootste stokpaard is harmonie. We moeten lief zijn voor elkaar en in vrede met elkaar leven. Ze is een beetje opgefokt, maar we vinden haar allemaal een schat.'

Jessie keek naar juffrouw Brandenburg. Ze zat aan haar tafel te corrigeren. In haar rechterhand hield ze een rood potlood. Met haar linkerhand friemelde ze aan haar ketting. De stenen fonkelden in het zonlicht.

Ik hoop niet dat Spriet ernaar vraagt, dacht Jessie en ze boog zich vlug over de grondsoorten van Hans.

Thuis

Natuurlijk vroeg ze er wel naar. Ze wilde ook alles weten over de kinderen. Of ze aardig waren, welke kleren ze droegen en of ze ook dubbele namen hadden. 'Hoe Hans heet weet ik niet,' antwoordde Jessie, 'Maar het meisje dat voor me zit heet van tut tot hola of zoiets.'

'Dat is vast adel,' zei Spriet opgewonden. 'Probeer erachter te komen hoe haar achternaam is. Misschien hebben ze wel ergens een kasteel en word je uitgenodigd. Je moet vooral vriendjes worden met die ambassadekinderen, Jes. Als je daar over de vloer komt en voor een feest wordt gevraagd... Allemaal schatrijke mensen. Daar valt wat te halen. O, wat ben ik blij dat ik je op deze school heb gedaan.'

Piet had thee gezet en zei: 'Nu houden we erover op. Jessie heeft het naar haar zin en ik stel voor dat we dat vieren.'

Hij liep naar de keuken en kwam terug met een taart.

'Wat een grote,' riep Jessie. 'Waar heb je die nou weer gepikt?'

'Eerlijk gekocht,' antwoordde Piet. 'Kijk maar.'

Op de taart stond:

Ze kreeg er een kleur van.

'Omdat je zo'n braaf meisje bent,' zei Piet. 'Maar zo'n taart is duur, hoor. Dat doe ik nooit meer.'

'Ik heb ook wat voor je,' zei Spriet. 'Uit de gratis afdeling van de Bijenkorf.'

Ze gaf Jessie een blauwe rugzak.

'Voor je boeken, schat. Past precies bij je spijkerpak.'

'Zullen we buuf vragen?' vroeg Jessie. 'Die is tenslotte mijn vriendin.'

Het werd echt gezellig.

Buuf at twee stukken taart en lepelde drie glazen advocaat leeg.

'En dat allemaal omdat Jes weer eens naar school gaat,' zei ze. 'Foei toch!'

Vriendschap

De ambassade-meisjes werden gehaald en gebracht door een chauffeur in een grote zwarte auto. In het speelkwartier stonden ze meestal bij elkaar. Zo dicht mogelijk bij de muur van de school. Alsof ze het koud hadden. Ze spraken weinig of niet met de andere kinderen.

Het adellijke meisje stond in het fietsenhok stiekem sigaretten te roken. Ze had altijd een pakje bij zich en probeerde de anderen over te halen. Een paar meisjes en een jongen deden mee.

De jongen was een opschepper. 'Ik breng morgen wiet mee,' zei hij elke dag. 'Dan gaan we blowen.' Hij had al vier scholen achter de rug en was telkens weggestuurd. 'Omdat ik te intelligent ben,' zei hij. In de klas hadden ze er nooit iets van gemerkt.

Jessie ontdekte algauw dat de helft van de kinderen op andere scholen was weggestuurd. Wegens wangedrag of onaangepastheid. Ze hadden bijna allemaal rijke ouders. Die vonden onderwijzers dom en hun kinderen het toppunt van slimheid. Daarom stuurden ze hun kinderen ten slotte naar juffrouw Brandenburg. Iedereen wist dat het een deftige school was. 'Een beetje als een Engelse kostschool,' zei Spriet. 'Goed voor je opvoeding en je relaties.'

Jessie was blij dat ze naast Hans zat. Hij was geen opschepper, geen praatjesmaker en geen uitslover. Hij was wel een beetje moeilijk. Hij zei niet veel en het was net alsof hij altijd ver weg was.

En dat was ook zo.

Op een dag vroeg ze hem of hij Moskou voor haar kon aanwijzen. Hij keek haar met zijn ijsogen aan en gaf geen antwoord. 'Je hoeft het niet te zeggen, hoor,' zei Jessie kwaad.

'Sorry,' zei hij met zijn arrogante stemmetje. 'Ik had je niet gehoord. Ik zat met mijn gedachten ergens anders.'

Ze gaf hem een trap. Ze schrok er zelf van. Zoiets had ze nog nooit gedaan. Ze kreeg er een kleur van.

'Ik dacht aan mijn fluitles,' zei Hans, alsof hij niets van die trap gemerkt had.

'FLUITLES?'

'Ik moet vanmiddag naar les. Ik heb een stuk opgekregen met razend vlugge loopjes. Ik struikel over mijn eigen vingers. Het is hopeloos.'

Jessie begreep het wel en ze begreep het niet.

 'Ik denk dat ik het nooit leer,' zei Hans moedeloos. 'Niet goed tenminste.'

'Dat hoeft toch ook niet.'

'Jawel,' zei Hans heftig. 'Ik wil beroemd worden. De beste fluitist van de wereld.'

Nu schrok hij en keek meteen de andere kant op.

'Als je heel hard werkt en als je echt wilt...' Jessie hield beteuterd op. Ze voelde zich net juffrouw Brandenburg.

Maar Hans keek haar opeens anders aan. De kilte uit zijn gezicht was verdwenen. Het was of zijn ogen een andere kleur hadden gekregen. Dat kon natuurlijk niet. Toch was het zo.

Hans pakte de kaart en wees Moskou aan.

Nu zijn we misschien wel vrienden, dacht Jessie.

Ze zei het niet, maar ze had het best gedurfd.

Ze vond de klas opeens fijn.

Lekker veilig.
Alsof haar niets meer kon gebeuren.

Nieuwe mogelijkheden

Ze had met Hans afgesproken dat ze een keer zou komen luisteren. Bij hem thuis. 'Maar dan wel op een moment dat mijn vader er niet is,' had hij gezegd. En toen Jessie hem verbaasd aankeek, zei hij: 'Mijn vader vindt die fluit verschrikkelijk. Hij vindt het kattengejank.'

Waarom wist ze niet, maar ze was ervan overtuigd dat Hans mooi speelde. Terwijl ze naar huis liep, fantaseerde ze over mooie warme fluittonen. Spriet had haar piano verkocht omdat Jessie niet wilde spelen. Wat had ze daar nu spijt van. Ze zag haar vingers over de toetsen gaan, terwijl Hans fluit speelde.

Ze belde drie keer.

Piet trok de voordeur open. Hij keek zorgelijk. De fluit in haar hoofd verstomde, de piano zweeg. Ze was weer met haar voeten op de grond. Thuis, bij Spriet en Piet.

'Wat is er?'

Spriet zat in haar stoel bij het raam. Haar gezicht was bleek. Haar handen trilden. Achter elkaar streek ze het haar uit haar ogen.

'Wat me nou is overkomen,' zei ze schor. 'Dat wil je niet weten.'

Jessie zei niks.

'Ze is aangehouden,' zei Piet.

Jessie schrok. Ze dacht aan politie, gevangenis en aan Hans. Weg vriendschap. Haar maag kromp samen. Ze voelde haar hart kloppen met langzame, onheilspellende slagen.

'Ik wou bij Zeegers de winkel uitgaan,' zei Spriet toonloos. 'Je weet wel, die winkel waar ik vaak kleren pik. Ik wou naar buiten gaan en daar komt ineens de veiligheidsman op me af. O Jes, mijn hart stond stil.'

'Wat had je bij je?'

'Niks. Ik had gewoon wat rondgekeken. Maar die kerel kwam op me af en ik moest mijn tas openmaken. Ze hebben me dus in de gaten.'

Jessie haalde opgelucht adem.

'Waarom?' zei ze. 'Die man moet af en toe een tas openmaken.'

'Dat zeg ik ook aldoor,' viel Piet bij. 'Het is gewoon toeval, Spriet, echt waar.'

Ze schudde haar hoofd.

'Zoals 'ie naar me keek, Piet. Dat was niet gewoon. Alsof hij me verdacht. Ik had trouwens de hele tijd al een naar gevoel. Of ze me in de gaten hielden. Ik zag een schattig truitje voor Jes, maar ik heb het niet meegenomen. Ik durfde niet. Nou, dat overkomt me nooit. Als ze je eenmaal in de gaten hebben, waarschuwen ze elkaar. Dan kun je geen winkel meer in. Je wordt overal geschaduwd.'

'Ik ga thee zetten,' zei Piet. 'Zonder thee is het leven niks. Hoe was het op school, schat?'

'Leuk,' antwoordde Jessie vaag. De school was heel ver weg. Ze wist ook niet wat ze zo gauw vertellen moest. Alsof het haar niets kon schelen zei ze: 'Ik ga van de week bij Hans langs. Hij speelt fluit en heeft gevraagd of ik kom luisteren.'

'Hoe heet 'ie eigenlijk?' vroeg Piet.

'Klokkenmaker,' antwoordde Jessie. Ze vond het een gekke naam.

'Dat is die pillendraaier,' zei Piet.

Spriet was op slag haar zorgen vergeten. Ze werd opeens een ander mens. Het was alsof ze opveerde en alle ellende was vergeten.

'Die mensen zijn schatrijk, Jes. Die vent maakt hoofdpijn-pillen voor een dubbeltje en verkoopt ze voor anderhalve euro.'

Jessie wist niet wat ze zeggen moest.

'Ze wonen in een paleis! En daar ga jij op visite,' zei Piet vol ontzag. 'Dat geeft weer mogelijkheden, jongens. Nieuwe mogelijkheden. O Duifje, mijn Duifje, je bent geweldig!'

Het paleis

Jessie had nog nooit zo'n huis gezien.

Het was nieuw en het stond in een villawijk aan de rand van de stad.

De hal was groter dan de woonkamer bij haar thuis. Er stond een hoge antieke kast en een tafeltje vol snuisterijen. De zitkamer was volgebouwd met banken, diepe fauteuils en bijzettafels. Tegen de muur stond een laag buffet met wel tien kristallen karaffen. Op een schrijftafeltje met geheimzinnige laatjes stonden foto's in zilveren lijstjes. Bij de openschuivende tuindeuren stond een ronde tafel met fotolijstjes en zilveren spulletjes.

Het leukst vond Jessie de glazen kast met klein zilveren kinderspeelgoed. Er stond van alles bij: een koets met zes paarden, een poppenhuisje, stoelen en tafeltjes, een hoepelend meisje en een rij molentjes in oplopende grootte. Het leukst vond ze het schommeltje met een kind erop en natuurlijk de beertjes. Ze zag ze ineens. Ze stonden op een rij op de bovenste plank.

'Onze buurvrouw verzamelt ook beertjes, maar een zilveren heeft ze nog niet.'

'Pak er maar eentje,' zei Hans. 'Wij hebben er genoeg.'

'Ja zeg...' zei Jessie.

Hans pakte het sleuteltje dat boven op de kast lag, deed de deur open en haalde er een beertje uit.

'Alsjeblieft. Ze zal hem echt niet missen.'

Jessie stopte het beertje aarzelend in haar broekzak. Daarna keek ze verder.

In een hoek stond een antieke bak met gekleurde platen. Sommige waren gek, met ogen op neuzen en zo. 'Die verzamelt mijn vader,' zei Hans. 'Allemaal werk van moderne kunstenaars.'

Jessie wist niet wat ze daarop zeggen moest. Ze liep naar de glazen tuindeuren en keek de prachtige tuin in. Bijna een park. Er waren vijvers en grote oude bomen. Op het terras stonden stalen tuinstoelen en een grote schommelbank. Het was mooi en gezellig.

Alleen de keuken, waar ze limonade gingen halen, viel tegen. Net een slagerij. Lange marmeren aanrechten, waar niets op stond. Een ijskast zo groot als een klerenkast.

Hans drukte op een knop en een golf van ijsblokjes stortte zich in de metalen ijsemmer. Die namen ze mee naar boven, naar de kamer van Hans.

Het was zo stil in huis dat Jessie zich verbaasde. Ze durfde ook niet aan Hans te vragen of zijn moeder thuis was. Alsof hij haar gedachten kon lezen, zei hij: 'Mijn ouders zijn naar een receptie. En Maria heeft vrij.' Maria, vertelde hij, was de huishoudster die kookte, de was deed en zorgde dat de werksters het huis schoon hielden. Hans deed ijsblokjes in de glazen en schonk cola in.

'Ik wil je eerst horen,' zei Jessie.

Het was niet helemaal wat ze had verwacht. Sommige tonen waren mooi, maar andere, vooral de hoge, waren een beetje scherp.

'Net of je te hard blaast,' zei Jessie.

'Ik denk dat mijn vader gelijk heeft,' zei Hans. 'Ik kan er beter mee ophouden.'

'Dan ben je een watje.'

'Hou je kop,' schreeuwde Hans. 'Je bent mijn vader niet.'

Jessie haalde haar schouders op. 'Doe niet zo stom. Als je het leuk vindt, blijf je het toch gewoon proberen?'

Hans zei niets.

Jessie voelde zich een schooljuffrouw.

Een tut.

Luchtkastelen

'Volgens mij,' zei Piet, 'is het antiek.' Hij bekeek het beertje van alle kanten. 'Handgemaakt. Niet gegoten. Mooi hoor.'

Spriet had er geen belangstelling voor.

'Hoe was het huis? Je hebt toch wel goed gekeken, hè?'

Jessie probeerde het te beschrijven. Ze had zoveel te vertellen dat het wel opscheppen leek.

'Veel schilderijen?'

Jessie vertelde van de bak met platen.

'Wel honderd, geloof ik. Er waren echt gekke bij, Spriet, neuzen op je achterhoofd en...'

'Picasso,' fluisterde Spriet. 'Die zijn goud waard.'

'De schilderijen in de kamer zijn saai,' vervolgde Jessie. 'Bloemen en bossen en zo. Niks aan.'

'Hans heeft je dat beertje zomaar gegeven? En zij mist het niet eens?' Spriet keek dromerig voor zich uit. 'Daar valt wat te halen, Piet. Die mensen zijn zo rijk dat ze niet eens weten wat ze hebben.'

'Allicht,' zei Piet. 'Als je hoofdpijnpillen van een dubbeltje voor anderhalve euro verkoopt.'

'Zo'n adres hebben we nodig,' zei Spriet. 'Eén Picassootje en we zijn uit de zorgen. Als het echt een echte is, kunnen we een camper kopen en ervandoor gaan. Ik zie het hier niet meer zitten.'

'Je moet eens kijken of ze een zilveren theepot hebben,' zei Piet. 'Dat lijkt me zo mooi: thee uit een zilveren pot. En dan niet zo'n vierkante, nee, een mooie ronde met zo'n lange tuit...'

Spriet zei niets.

Ze zat met zachte, nietsziende ogen voor zich uit te kijken, of ze iets zag dat heel mooi was.

Jessie zei niets. De opmerkingen van Piet en Spriet maakten haar onrustig.

'Ik ga naar buuf, hoor,' zei ze. 'Even het beertje brengen.'

Spriet was meteen wakker.

'Niks hoor. Buuf wil weten waar het vandaan komt. Ze weet best dat wij niet zulke kostbare dingen hebben.'

'Ik kan toch zeggen dat het van jouw vader en moeder is?'

Spriet schudde haar hoofd en Piet zei: 'Nooit onnodige risico's nemen, Jes. Als dat mens het beertje niet mist, ga ik het over een tijdje verpatsen. Ik weet wel iemand die veel voor antiek zilver over heeft. En nou ga ik thee zetten. Zonder thee is het leven niks.'

Moeilijk

Jessie had nog nooit zoiets beleefd: dit was echte vriendschap. Hans en zij deden bijna alles samen. Huiswerk maken,
kletsen, lachen. Ze luisterde als hij fluit speelde, ze keken tv
of deden een computerspelletje.

Spriet zei wel eens:
'Je bent tegenwoordig
meer daar dan hier.
Vindt die moeder dat
wel goed?'
'Die zie ik niet veel. Ze
is zo vaak weg. Maar ze
is wel aardig.'
'Zeker behangen met
juwelen?' vroeg Spriet
af en toe en Jessie ant-
woordde steevast: 'Heb
ik niet op gelet, hoor.'
Tot Piet een keer uitviel:
'Maar je hebt je ogen
toch niet in je zak? Je
moet kijken wat er te
halen valt.'

'Maar Hans is een vriend van me!'
'Je pikt toch niet van hém.'
'Die vrouw is onbeschoft rijk,' zei Spriet. 'Ze kan alles
kopen wat ze hebben wil. Ik heb niks, Jes. Als ik in een win-

kel kom, is het of mijn handen scheef staan. Ik durf niets meer. Net of er overal ogen zijn.'

'Ik heb laatst met de grootste moeite een paar telefoons meegenomen,' zei Piet. 'Maar de moeite die je daarvoor moet doen! En als je dan ziet wat je ervoor krijgt... Je zei laatst dat ze een heleboel theepotten heeft. Je kon ze gewoon niet tellen.'

'Niet waar,' zei Jessie.

'Wel waar. Van die kleine antieke trekpotjes, die zij verzamelt. Je hebt zelfs gezegd, dat ze onder in de zilverkast in de kamer staan. Als ze echt antiek zijn...'

Jessie stopte haar oren dicht.

Spriet schudde haar hoofd en Piet zweeg.

Het werd een moeilijke middag. Jessie voelde zich niet meer thuis in haar eigen huis. Spriet en Piet deden anders dan anders. Zelfs de kamer leek vreemd. Net of ze er niet altijd gewoond had. 'Ik ga nog even naar buuf,' zei ze na de thee. 'Tot straks.'

Buuf was niet thuis.

Ze slenterde de straat uit, de stad in. In de muziekwinkel bekeek ze cd's. Ze zocht er een met fluitmuziek. Geen enkele. Bij Zeegers rommelde ze in een bak bloesjes. Ze slenterde door de HEMA. Er waren geen beertjes meer. Ze hadden nu kabouters met ijskoude oogjes en vuurrode wangetjes. Ze liep langs het snoep. Ze zag het en ze zag het niet. Het was net of ze er niet helemaal bij was. Er flitsten beelden door haar hoofd, Spriet en Piet, Hans, zijn moeder. Het was alsof ze het begin van misselijkheid voelde. Langzaam liep ze terug naar huis. Ze belde drie keer en Spriet trok de deur open. Ze was weer helemaal anders.

'We eten stoofpeertjes,' zei ze. 'Dat vind je zo lekker.'

Piet en Spriet waren schattig.

Spriet zette chocolaatjes en limonade op tafel. Piet haalde de doos Rummikub uit de kast en zei: 'Gaan we een spelletje doen?'

'Ja,' riep Spriet overdreven leuk. 'Gezellig.'

Het werd ook gezellig. Piet en Spriet wisten niet wat ze doen moesten om het Jessie naar de zin te maken.

Het was fijn.

En toch, toch vertrouwde ze het niet.

Strategie

'Een strategie is: van te voren uitstippelen wat je gaat doen, niets aan het toeval overlaten,' legde juffrouw Brandenburg uit. 'Een generaal probeert op die manier het leger van de vijand in de pan te hakken. Een goede strategie voeren behoort tot de hogere krijgskunde.'

En dat was nu precies wat Spriet deed.

Op een middag zat Jessie met Hans aan de keukentafel cola te drinken, toen zijn moeder binnenstormde.

'Wat een leuke moeder heb jij,' riep ze. 'Wat een origineel mens. We hebben elkaar nog nooit gezien, maar we kunnen nu al urenlang telefoneren.'

Jessie wist niet wat ze zeggen moest.

'Je moeder is chic, dat kon ik meteen horen. Jammer dat ik net een week naar New York ga. Anders hadden we volgende week met elkaar kunnen afspreken.'

Jessie bevroor.

In een flits zag ze Spriet en Piet in die tijd door het huis dolen, op zoek naar kostbaarheden.

'Je moeder is van goede familie, hè? Jammer dat je grootvader al het geld erdoorheen gejast heeft. Maar ja, dat gaat soms zo.'

Jessie probeerde zich in te denken wat Spriet allemaal bij elkaar had gefantaseerd.

'Ik heb eigenlijk geen enkele goede vriendin. Hoe is dat met jouw moeder, Jessie? Zeker veel vrienden en vriendinnen?'

'Mama,' zei Hans geërgerd, 'we zijn huiswerk aan het maken.'

'Wat een onzin. Huiswerk op de lagere school. Dat hadden wij vroeger toch ook niet.' Hoofdschuddend liep ze de keuken uit.

'Ik denk toch dat ik ermee ophoud,' zei Hans.

Jessie begreep er geen woord van. 'Waarmee?'

'Met fluitspelen natuurlijk. Daar hadden we het toch over. Ik ben gewoon niet goed genoeg. Gisteren zei je dat het klinkt als een krassend krijtje op een schoolbord.'

'Die ene toon!'

Hans keek stom voor zich uit.

Jessie ook. 'Ik geloof dat ik maar naar huis ga,' zei ze.

'Dat is makkelijk. Zit je eerst kritiek te geven en dan ga je ervandoor.'

'Ik voel me niet lekker. Ik geloof dat ik griep krijg.'

'Sorry,' zei Hans. 'Ik zie het. Je bent hartstikke bleek. Zal ik mama vragen om je te brengen?'

'Ik loop liever,' antwoordde Jessie. 'Buiten voel ik me vast beter.'

Ze deed haar jack aan. Haar capuchon op. Of het winter was.

'Wil je tegen je moeder zeggen...' riep de moeder van Hans.

Jessie rende naar buiten.

Haar gezicht was zo koud als het marmeren aanrecht bij Hans. Haar handen waren nat van het zweet. Niet omdat ze ziek was. Onderweg voelde ze zich bozer en bozer worden.

Ik ga Spriet uitschelden, dacht ze.

Thuis ging alles anders.

'Wat een schat is die moeder van Hans,' zei Spriet stralend.

'Waarom heb je haar opgebeld?'

'Maar schat, Hans en jij zijn zo dik met elkaar. Ik wil toch weten met wie je omgaat. Dat wil iedere moeder. Het klikte meteen. We begonnen te praten en het was alsof we elkaar al jaren kenden.'

Ze trok Jessie naar zich toe en knuffelde haar of ze een kleuter was.

'Je hoeft niet bang te zijn, schat,' zei ze zachtjes. 'Ik doe niets wat je niet wilt.'

Buuf

Jessie had in de supermarkt een fles advocaat gepikt. Ze wist dat buuf daar dol op was. Met de fles onder haar jack ging ze naar buuf.

'Van mijn moeder. Ik heb de slagroom vergeten. Stom hè?'

'Lief van je. Maar advocaat is niet goed voor kinderen, Jes. Je krijgt maar één lepeltje.'

'Hoeft niet. Ik heb liever thee.'

Ze ging aan de keukentafel zitten, terwijl buuf liep te redderen.

'Ik ga pannenkoeken voor je bakken. Je ziet eruit! Volgens mij moet je veel te hard werken op die school.'

Voor Jessie het besefte, siste het beslag in de pan en was de eerste pannenkoek klaar.

Buuf wist niet wat ze neer moest zetten om het lekker te maken.

'Eet maar flink, bleekscheet.'

Na de derde pannenkoek gaf Jessie het op.

'Nu de advocaat!' Buuf schepte een bonk ijs op haar eigen bordje en stortte er een flinke scheut advocaat op.

'Kijk uit! Straks word je dronken!'

'Dan gaan we samen lol trappen. Lijkt me leuk,' zei buuf. 'Weet je dat ik soms zin heb om iets heel ondeugends te doen, Jes? Ik ben zo oud en zo truttig geworden. Vroeger kon ik op mijn handen lopen en ik denk wel eens... zal ik zo naar de supermarkt gaan, maar ja...'

'Kon je dat echt?'

'Ik kon ook op mijn hoofd staan.'

'Heb je weleens wat gepikt?'

'O ja hoor. Een klein poppetje in een speelgoedwinkel. Mijn moeder was razend. Ik moest het meteen terugbrengen. O Jes, toen ik die winkel binnenkwam... ik had wel door de grond willen zakken van schaamte. Maar weet je wat er gebeurde? Ik mocht het poppetje houden. Die man snapte dat wij arm waren en ik niks had. Ik was zo blij, Jes, kijk hier is het.'

Ze pakte het poppetje van de keukenplank. Jessie had het al vaak gezien. Het was een doodgewoon poppetje, maar het werd opeens bijzonder.

'Dat is het mooiste wat ik heb,' zei buuf. 'Nou ja, na jou natuurlijk.'

Jessie drukte het poppetje tegen haar gezicht.

Wat was het fijn bij buuf.

Vrienden

Een van de ambassademeisjes was de eerste die het zag: 'Uw ketting is weg, juf!'

Jessie keek op. Haar hart begon te bonken. Haar hoofd suisde en haar buik voelde alsof ze verschrikkelijke diarree kreeg.

'Hebt u hem verloren?'

'Nee hoor,' zei juffrouw Brandenburg. 'Ik heb hem aan mijn zuster gegeven. Die is dol op sieraden en ik geef er niet om.'

Jessie kreeg weer kleur. Ze was zo opgelucht, dat ze om twaalf uur naar huis rende om het te vertellen.

Spriet snapte er niets van.

'Zei ze dat echt? Heeft ze dat prachtige collier aan haar zuster gegeven? Wat stom. Wie doet dat nou?'

Ze keek verbaasd voor zich uit. Maar niet lang. Ze had met Suus, de moeder van Hans, afgesproken.

Jessie vond het eng. Binnen een paar weken waren Spriet en Suus hartsvriendinnen geworden. 'Alsof we zusjes zijn,' zei Spriet. Ze belden elkaar dagelijks op en gingen voortdurend met elkaar uit.

'Je kan niet opkijken of haar auto staat voor de deur,' mopperde Piet.

'Het is een belangrijke relatie,' zei Spriet. 'Dat weet je ook wel.'

Met Suus sjouwde ze het hele land door. 's Morgens winkelen in Utrecht, tussen de middag lunchen in Laren, 's middags kleren kopen in Amsterdam.

Suus kocht en Spriet winkelde mee. Ze paste van alles, maar ze wilde niet dat Suus voor haar betaalde. Toch had ze in minder dan geen tijd een kast vol gepikte kleren.

'Die mensen hebben alleen aandacht voor Suus. Ze zien niet eens wat ik aan het passen ben.'

Spriet kon ook goed opschieten met Erik, de vader van Hans. Erik had bewondering voor Spriet. 'Zo'n doortastende vrouw,' zei hij. 'Die kun je om een boodschap sturen.'

Suus was al gauw dol op Piet en zo ontstond er een nieuwe vriendschap.

Spriet had van Suus een smalle witgouden ring vol kleine glinsterende steentjes gekregen.

 'Ik draag hem daar niet,' zei Spriet. ' En je moet er ook niet over praten, want Erik mag het niet weten.'

'Ik geloof er niets van,' snauwde Jessie. 'Je hebt hem natuurlijk gejat.'

Spriet zei niets.

Ze wreef het haar uit haar ogen.

'Je moet hem terugbrengen.'

'Waarom? Ik heb hem eerlijk gekregen.'

'Ik wil niet dat je daar steelt,' schreeuwde Jessie. 'Hans is mijn vriend.'

'En Suus is mijn vriendin,' zei Spriet koel.

'Als je hem niet terugbrengt, dan zeg ik dat je hem gepikt hebt.'

'Schreeuw niet zo,' zei Piet. 'Buuf hoeft het niet te horen.'

Spriet sloeg haar handen voor haar gezicht.

Ze huilde of ze deed of ze huilde. Jessie kwam er niet achter.

'Als je hem niet teruggeeft, kijk ik je nooit meer aan. Nooit meer.'

'Geloof je me niet?' vroeg Spriet.

'Nee!' zei Jessie.

Voor het leven

Misschien had Spriet gelijk, had ze de ring toch gekregen. Een paar dagen later zaten ze allemaal in de keuken van Suus en Erik.

'Schat,' zei Suus, 'ik heb Spriet die vaas van oma gegeven. Je weet wel, die blauwe, die hier nergens past. Dat vind je wel goed, hè?'

'Ja hoor,' zei Erik, maar Jessie zag dat hij het niet meende. Hij stond op en zei: 'Ik ga wat lekkers maken.'

Erik was dol op koken. Hij had de keuken ontworpen en op zaterdag en zondag, als er geen hulp was, trok hij zijn keukenschort aan en ging aan de gang. Hij haalde wijn uit de kelder en liet de fles aan Piet zien.

'Een goeie, hoor,' zei Piet, die geen verstand van wijn had. 'Daar lust ik wel pap van.'

Jessie ergerde zich. Ze zag dat Erik zo'n opmerking niet op prijs stelde.

Ze keek naar Hans en keek naar boven.

'Hee Jes,' zei Hans. 'Ik wou je nog wat laten horen. Dat nieuwe nummer van...'

Ze stonden tegelijk op.

'Geen gefluit, hè.' zei Erik. 'Dat geluid gaat door merg en been. Het hele huis door.'

Ze liepen zwijgend de trap op.

In zijn kamer zei Hans, terwijl hij zijn fluit pakte: 'Ik zal hem eens een concertje laten horen.'

'Doe dat nou maar niet,' zei Jessie. 'Daar komt alleen maar ruzie van.'

'Wat zullen we dan doen?'

'Je wou me toch...'

'Dat was een smoesje.'

Ze zaten een tijdje zwijgend tegenover elkaar. Alsof ze niet wisten wat ze moesten zeggen.

'Ik lijk mijn vader wel,' proestte Hans opeens. 'Die doet thuis ook nooit zijn bek open. Hee Jessie, kun jij schaken?'

Ze schudde haar hoofd.

'Proberen?'

'O ja. Ik ken een ouwe baron in een bejaardenhuis die dol-graag met mij schaken wil.'

Hans pakte het bord, zette de stukken op en ze begonnen. Het ging goed. Zo goed dat ze zelfs Suus niet hoorden toen ze iets lekkers kwam brengen.

'En we gaan zo eten. Over een kwartier beneden.'

Erik had het voorgerecht opgediend en zat heftig met zijn handen maaiend te praten.

'Ik wil zo'n ding hebben, maar Suus is erop tegen.'

'Dat snap ik niet,' zei Spriet.

'Ik heb mijn vliegbrevet en zo'n klein sportvliegtuig is te behappen. Je kunt ermee naar Maastricht, naar Londen. Het is ook goed voor mijn werk. Ik heb zoveel afspraken en met al die files...'

'Mij niet gezien,' zei Suus. 'Ik ga liever gewoon dood.'

'Jij bent een angsthaas. Daardoor wordt Hans zo'n watje.'

'Ik weet wat,' zei Spriet. 'Zullen Suus en ik een keer met je meegaan?'

'Nee, dat wil ik niet,' zei Suus.

'Dan ga jij met me mee,' zei Erik. 'Nou, dat lijkt me wel wat.'

'Maar mij niet,' zei Piet.

Erik pakte een nieuwe fles en schonk in.

'Op de vriendschap, jongens. Voor het leven.'

'Ja,' zei Suus. 'Door jullie is ons leven opeens anders geworden. Wij hebben nog nooit zulke fijne vrienden gehad.'

'Wij ook niet,' zei Spriet. 'Proost.'

Een varkentje wassen

Jessie was thuis met Hans aan het schaken. Ze moest denken aan de baron in het prieel. Hij zou het vast fijn vinden als Hans af en toe met hem schaakte.

En Hans wilde wel. 'Ik kan vast een heleboel van hem leren,' zei hij. 'Zullen we er samen heen gaan?'

Daar stak Spriet een stokje voor. 'Ik ben dol op baronnen,' zei ze met een knipoog. 'Ik zal dat varkentje zelf wel wassen.'

'Waarom?' zei Jessie. 'Dat kunnen wij ook wel.'

Spriet schudde haar hoofd. 'Dat doe ik liever alleen.'

'Je kent hem niet eens.'

Spriet was niet tot andere gedachten te brengen. Met hulp van Piet mocht Jessie ten slotte mee.

Zwijgend zaten ze naast elkaar in de auto. Zwijgend stapten ze uit en liepen het trapje op naar de voordeur.

'Laat het nou maar aan mij over,' zei Spriet terwijl ze belde. 'Ik weet hoe je met zulke mensen om moet gaan.'

De directrice leek van ijs, maar Spriet stapte stralend op haar af: 'Wat leuk dat ik u tref. Ik had u nog zo graag willen zeggen hoe enig ik de openingsmiddag vond. Ik was zo blij dat u mij had uitgenodigd.'

De directrice ontdooide.

'Ja, het was een heerlijke middag,' zei ze. 'Ik heb er erg van genoten. Hebt u hier...'

'Ik kom voor de baron,' zei Spriet vriendelijk.

Het gezicht van de directrice betrok.

'Hij is vorige week gestorven,' zei ze ernstig. 'Bent u familie?'

'Een verre nicht,' stamelde Spriet. 'Wij kwamen omdat hij mijn dochtertje had gevraagd om met hem te schaken. Hij wilde het haar leren, ziet u.'

'Ach,' zei de directrice, 'wat jammer voor je. Maar je moet niet verdrietig zijn. Oom was zo oud, al in de tachtig. En hij deed de laatste tijd zulke rare dingen.'

'Ja,' zei Spriet alsof ze er alles van af wist. 'Het is beter zo.'

'Ik kan u helaas niet op zijn kamer laten,' vervolgde de directrice. 'Maar dat begrijpt u wel.'

Spriet knikte en nam afscheid.

'Dat is pech,' zei ze in de auto.

Jessie hoorde haar niet.

Ze dacht aan de oude meneer in het prieel. Wat zou hij het fijn gevonden hebben om met Hans te schaken.

Ze had hem maar een keer ontmoet en toch was het of ze verdriet had.

Bollebozen

Jessie en Hans waren bollebozen, zei juffrouw Brandenburg. Jessie was de beste van de klas. Daarna Hans. Zij hadden de hoogste cijfers voor hun proefwerken en toetsen.

Als beloning kreeg Jessie van Piet een antieke bedelarmband. Er hing een gouden slangetje aan, een geluksteken.

'Hoe kom je daar nou weer aan?'

'Van de kijkdag op de veiling,' zei Spriet trots. 'Piet is toch zo handig, Jes. Die vrouw liet mij een ring zien uit de vitrine en Piet pikte het waar iedereen bij stond. Ik snap niet hoe hij dat voor elkaar krijgt.'

'En ik heb er ook nog een bedeltje bij,' zei Piet nog trotser. 'Eerlijk gekocht, Jes.'

Van buuf kreeg ze ook een bedeltje. 'Nog van vroeger, van mijn eigen armbandje.'

Suus wilde natuurlijk niet achter blijven en gaf haar een zilveren molentje.

'Ik vind het een vreselijk ding,' zei Hans. 'Wat vind jij er nou eigenlijk van?'

'Gewoon,' zei Jessie. 'Het gaat wel.'

'Waarom draag je het dan?'

'Wat doe je raar, wat heb je?'

Hans gaf geen antwoord, hij was kwaad. Erik had hem net verteld dat hij economie moest gaan studeren. Hij wilde dat Hans later in de zaak zou komen. Maar Hans wilde fluitist worden en Suus steunde hem.

'Als hij talent genoeg heeft...'

'Jij maakt een mislukkeling van hem,' zei Erik woedend. 'Een watje. Een jongen zonder ruggengraat. Je bent veel te sentimenteel. Neem eens een voorbeeld aan Spriet. Die is leuk en bijdehand. Een gezonde Hollandse jongen wil hardlopen en hockeyen. En Hans zit daar maar op z'n kamer te flauwekullen.'

Suus liet Erik praten en ging met Spriet de stad in. Ze wilde eigenlijk een weekje naar Parijs, maar dat durfde ze nog niet te zeggen.

Hans voelde zich ongelukkig. Hij zat meestal alleen op zijn kamer. Als Jessie er was, wilde hij niets. Hij speelde geen fluit en maakte geen huiswerk. Hij poetste zijn tanden niet meer. Soms blies hij heel langzaam zijn adem uit en probeerde hij te ruiken of hij al stonk.

Hij had maling aan iedereen.

Hij was dwars en luisterde naar niemand.

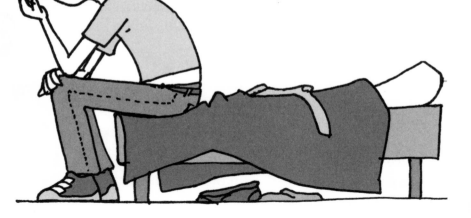

'Mijn familie is een BENDE,' zei hij tegen Jessie.

'O,' zei Jessie. 'De mijne ook. Kan jou 't wat schelen.'

Schrik

De zaterdagochtend was zoals altijd. Piet had de tafel gedekt, eitjes gekookt, broodjes opgewarmd, broodbeleg neergezet en thee gezet. Het was alleen later dan andere zaterdagen. Spriet en Piet waren met Erik en Suus uit geweest en het was laat geworden.

Het was warm en de ramen in de achterkamer stonden wijd open. Buuf zat in de zon koffie te drinken. Ze had een raar soort bikini aan.

'Te klein en uit het jaar nul,' zei Spriet. 'Ze moet echt een nieuwe kopen.'

'Doe niet zo gek,' zei Piet. 'Voor die enkele keer dat ze in de zon zit.'

'Weet je dat buuf op haar handen kan lopen? Ze kan ook op haar hoofd staan,' zei Jessie.

Spriet moest zo lachen dat ze zich verslikte in haar thee.

Piet nam een krentenboterham met dik boter, kaas en een ei erop.

'O kinderen,' zei hij. 'Wat hebben we het heerlijk.'

Op dat moment ging de telefoon. Ze konden hem vaag horen. De telefoon zat in de tas van Spriet en die tas lag ergens, maar niemand wist waar.

'Laat gaan,' zei Piet.

'Nee hoor,' zei Spriet. 'Ik denk dat het Suus is. We hebben afgesproken om...'

Ze holde de achterkamer in.

'Soms,' zei Piet tegen Jessie, 'wou ik dat we die mensen

nooit ontmoet hadden. Ze zijn aardig, hoor, daar niet van, maar Spriet is er niet weg te slaan.'

'Mijn schuld,' zei Jessie.

'Nee, natuurlijk niet,' zei Piet.

Toen kwam Spriet de kamer in.

Ze zag doodsbleek. 'Maar wat is er dan precies gebeurd?' Ze luisterde. Ze schudde haar hoofd. Ze probeerde ertussen te komen. Ze zweeg weer een tijdje. Ten slotte haalde ze diep adem en zei: 'We komen. Ja. Nu. Onmiddellijk.'

'Wat is er aan de hand?' vroeg Piet. 'Hebben ze elkaar de hersens ingeslagen?'

'Piet!' riep Jessie.

'Gisteravond was Erik zo kwaad dat ik dacht...'

'Ik weet niet wat er is,' zei Spriet. 'Maar het is heel erg. Erik is buiten zichzelf van woede. We moeten direct komen. Ja, jij ook Jes. Kan jij Hans bezig houden.'

Het leek eindeloos te duren voor ze de oprijlaan van het huis opreden.

Jessie werd zo wit als de tanden van Suus. Haar hart begon met vreemde diepe bonken te slaan. Ze voelde hoe ze beefde.

'Kijk nou eens,' fluisterde Spriet.

Voor de deur stond een politieauto.

Erg

Jessie had zichzelf onzichtbaar willen maken. Als ze had kunnen vliegen was ze weggevlogen. Als ze zich had kunnen verstoppen, had ze het gedaan. Maar dat kon ze allemaal niet. Ze had niet eens het lef om weg te lopen. Ze sjokte achter Piet en Spriet naar binnen.

Erik stond met een rechercheur voor de schoorsteen.

'Dit zijn onze vrienden,' zei hij.

Nu komt het, dacht Jessie. We zijn er bij en we worden allemaal opgepakt.

Maar er gebeurde niets. De rechercheur knikte en gaf Erik een hand.

'Ik zal u uitlaten,' zei Erik toonloos.

Suus zat weggedoken in de bank. Ze huilde geluidloos. Ze had haar handen voor haar gezicht geslagen. Haar lichaam schokte.

Jessie wist niet wat ze moest doen. Hans was er niet en ze durfde niet naar hem te vragen. Ten slotte ging ze in een hoek van de kamer op een poef zitten.

'Wat is er aan de hand?' vroeg Spriet.

Ze kroop naast Suus op de bank en sloeg haar arm om haar heen. Ze trok Suus naar zich toe alsof ze een kind was.

Erik kwam binnen en sloeg de deur met een klap achter zich dicht. 'Je hoeft geen medelijden met haar te hebben,' zei hij hees. Hij stak zijn arm uit en wees met een trillende wijsvinger naar Suus. 'Ze is een ordinaire dief. Een smerige, ordinaire dief.'

De mond van Spriet zakte open.

'Vanmorgen is ze voor de derde keer betrapt op winkel-diefstal. Voor de derde keer. Weet je wat dat betekent? Dat het niet meer stil te houden is. Dat het in de krant komt en mijn naam, mijn goede naam, door het slijk wordt gehaald. Ik, Erik Klokkenmaker, moest vanmorgen mijn vrouw van het politiebureau halen. De vernedering, Spriet. Smeken of ik haar alsjeblieft mee naar huis mocht nemen. Of ze het als-jeblieft uit de publiciteit willen houden.' Hij stikte in zijn woorden. 'Maar nu is het genoeg. Genoeg.'

'Wat heeft ze dan gestolen?' vroeg Spriet.

'Een schoen.'

'Eén schoen?'

Spriet keek hem verbijsterd aan.

'Je gaat eruit, Suus,' vervolgde Erik woedend. 'Ik wil niks meer met je te maken hebben.'

'En dat allemaal om die ene schoen?'

Jessie hoorde dat Spriet kwaad werd. Erik merkte het niet. Die schreeuwde verder: 'En je hoeft nergens op te rekenen. Je gaat maar ergens schoonmaken of in winkels jatten. Maar hier is het afgelopen. Afgelopen. Voorbij.'

Suus snikte hartverscheurend.

Spriet streelde haar haar, ze veegde de tranen van haar wangen, ze probeerde haar met zachte woordjes te kalme-ren, maar Suus kon niet ophouden. Nog nooit had Jessie iemand zo verschrikkelijk zien huilen.

Erik keek naar haar.

'Eigen schuld,' zei hij minachtend.

'O ja?' zei Spriet. Ze liet Suus los en ging staan. 'Misschien is het wel jouw schuld.'

'Nou zullen we het krijgen,' zei Erik stomverbaasd. 'Ik die overal voor zorg,

krijg nu de schuld omdat mijn vrouw steelt. Een vrouw die alles heeft wat haar hartje begeert. Een mooi huis, juwelen, dure kleren...' Hij stikte bijna in zijn boosheid.

'En wat nog meer?'

'Wat wil je nog meer?'

'Misschien wat aandacht?' zei Spriet losjes. 'Als ik zo naar jullie kijk, Erik, heb ik soms het gevoel dat jij meer geeft om je dure keuken, je bedrijf en je prachtige huis dan om Suus. Ze is altijd alleen. Je kijkt niet naar haar om. Je verwaarloost haar. En Hans...'

'HANS?'

'Hij mag niet eens fluit spelen,' snikte Suus. 'Want dan is hij een watje.'

'Kom niet met die flauwekul aan, Spriet,' zei Erik. 'Dat heb ik op het politiebureau ook al gehoord: zij moet naar een psychiater omdat ik te weinig aandacht voor haar heb.' Hij wachtte even. 'Als Suus zich laat behandelen, krijgt ze van de rechter misschien nog een kans. Dan wordt ze niet veroordeeld. Dat is onze enige kans om de zaak uit de publiciteit te houden.'

Hij liet zich op een stoel vallen.

'En dat is ook het enige wat jou interesseert,' zei Spriet kwaad. 'Zie je niet dat Suus ten einde raad is? Kapot van verdriet?'

'Dat interesseert me niet,' antwoordde Erik koel.

'Je zou haar kunnen troosten. Zeggen hoe erg je dit voor haar vindt.'

'Troosten?' Erik keek of hij een buitenaardse verschijning zag. 'Ik haar troosten? Heb ik soms gestolen?'

Nu werd Spriet woest.

Jessie schrok, zo kwaad had ze haar moeder nog nooit gezien.

'JA!' schreeuwde Spriet. 'Jij bent de grootste dief van allemaal. Een hoofdpijnpil van een dubbeltje voor anderhalve euro verkopen. Is dat soms mensenliefde? Of doe je dat voor die illegale buitenlanders die je voor een habbekrats laat werken?'

'Ik doe het toch voor ons allemaal,' zei Erik opeens kleintjes. 'Ook voor Suus. Ik vind het leuk als ze er goed uit ziet. Ze mag kopen wat ze wil. Ik was altijd trots op haar.'

'Ja natuurlijk,' zei Spriet. 'Als je met haar voor de dag kunt komen. Kijk eens wat een mooie vrouw ik heb. Maar wat doe je voor haarzelf? Volgens mij ken je haar niet eens. Weet je niet wat ze denkt, wat ze voelt...'

'Nee Spriet,' zei Suus. 'Zo erg is het nou ook weer niet.' Ze kwam overeind en liep naar Erik toe. 'Het spijt me zo. Ik weet niet hoe het komt. Het is sterker dan ikzelf. Voor ik het wist zat die schoen in mijn tas. Net zoals die handschoen en die... Het is afschuwelijk, afschuwelijk. Ik weet dat het stom is, maar toch gebeurt het. Jij kunt er niks aan doen, Erik, echt niet.'

Erik verstrakte.

Het was of alle beweging uit zijn lichaam verdween. Hij stond op en bleef roerloos, als een standbeeld, voor de schoorsteen staan.

Hij deed zijn mond open en dicht. Hij wilde iets zeggen, maar er kwam geen geluid.

Jessie schrok.

Ze zag dat Erik huilde.

Ze wist niet wat ze moest doen.

Ze stond op en liep de kamer uit, op zoek naar Hans.

Nog erger

De volgende dag was een zondag.

Ze hadden met Suus afgesproken en Spriet en Jessie gingen samen op weg.

'Hans en jij moeten maar een beetje aardig voor Suus zijn. Ze heeft het moeilijk genoeg.'

Hans zat zwijgend met Suus in de keuken. Erik had een afspraak.

'Het werk gaat door,' zei Suus tegen Spriet. 'Ook op zondag. Erik is niet boos meer. Hij heeft een bevriende dokter opgebeld en die heeft alles geregeld met de politie. O Spriet, ik schaam me zo.'

'Ik snap het wel, dat stelen om de spanning,' zei Spriet. 'Ik snap ook wel dat Erik kwaad was. Hij is een druk baasje en hij kan ontzettend arrogant zijn, maar hij is ook heel aardig. Ik weet zeker dat hij van jou en Hans houdt.'

Jessie keek naar Hans, maar Hans keek naar zijn moeder. Hij was niet van plan naar zijn kamer te gaan.

Jessie ging bij de grote glazen deuren zitten. Ze probeerde naar buiten te kijken. Het lukte niet. Ze moest naar Spriet kijken.

Die probeerde een grapje te maken.

'Zonde dat je die rechterschoen niet had, Suus.'

'Maar ik steel nooit rechterschoenen. Ik steel uitsluitend linker.'

'Wat heb je daar nou aan!'

'Het is de spanning, Spriet. Ik kan het gewoon niet laten.

Als ik handschoenen zie liggen, dan moet ik de linker pikken. Ik heb zelfs, in een klooster, het linkerbeen van de kapelaan gestolen. De kapelaan had een wonderbaarlijke genezing verricht aan een linkerbeen. En in dat klooster verkochten ze linkerbenen van was. Ze kostten bijna niks, maar ik moest er een stelen. Het is sterker dan ikzelf, Spriet, ik kan het niet helpen.'

'Ik begrijp het, maar ik snap er niets van,' zei Spriet. 'Ik steel om het geld. Dat is normaal.'

Suus keek haar niet begrijpend aan.

'Steel jij?'

Pas nu drong het tot Spriet door wat ze gezegd had. Jessie dacht dat ze er een grapje van wilde maken, maar ze zag dat Spriet aarzelde. Als ze het maar niet gaat vertellen, dacht ze in paniek.

'Ja,' antwoordde ze. 'Ik doe niet anders. Alles wat ik aan heb is gestolen.'

Suus kwam overeind. 'Maar dat is vreselijk,' zei ze met trillende stem. 'Dat is verschrikkelijk, Spriet.'

Spriet liet haar hoofd zakken. Ze wreef in haar handen of ze het koud had.

'Dus je bent een gewone ordinaire dief.' Suus sloeg haar hand voor haar mond. 'Wat gemeen, Spriet. Hoe kun je zoiets doen. Ik steel waardeloze dingen, maar jij steelt voor de heb.'

Spriet veerde op.

Ze keek Suus kwaad aan. 'Jij hebt makkelijk praten. Jij hebt geld genoeg. Maar ik heb niks.'

'Piet kan toch gaan werken?'

'Piet heeft een strafblad.'

Suus slikte. 'Jij toch niet? Bovendien, Spriet, je bent van goede huize. Je hebt me zelfs verteld dat je grootmoeder van adel was. Er is toch wel iemand in de familie die je helpen kan?'

'Ik kom uit een doodgewone, straatarme familie. Die adel was gefantaseerd.'

Suus schudde haar hoofd alsof ze er niets van begreep.

'Wat erg,' zei ze na een tijdje. 'Je liegt en bedriegt en je beduvelt iedereen.'

'Jou niet,' zei Spriet heftig.

'Hoe kan ik dat weten? Misschien heb je mijn halve huis wel leeggehaald.'

'Dat was ik wel van plan,' zei Spriet. Ze zei het of het haar niets meer schelen kon. Het klonk bijna uitdagend. 'Ik heb me om die reden aan je opgedrongen. Maar toen je mij die ring gaf, toen werd het ineens anders. Ik steel niet van vrienden.'

'Sorry,' zei Suus, 'dat had ik niet moeten zeggen. Maar ik ben zo geschrokken, Spriet. Je bent mijn beste vriendin. Wij keken zo tegen je op. Erik zegt bijna iedere dag: "die Spriet is zo slim. Wat zou ik die graag in de zaak hebben. Als je die met een doosje lucifers de straat op stuurt, komt ze met een fabriek thuis." Dat zegt hij altijd.' Ze hield op. Ze ging rechtop zitten. Ze keek Spriet aan of ze Amerika ontdekt had. 'Je kan toch voor Erik werken? Ik weet zeker dat hij dolblij met je zou zijn. Dan hoeft je ook niet meer te stelen.'

'Ik weet niet of Erik me hebben wil als hij weet...'

'Dat zeggen we toch niet.'

Spriet haalde haar schouders op.

Ze sloeg haar handen voor haar ogen.

'Mama!' zei Jessie.

Ze wilde opstaan, maar Suus sloeg haar arm om Spriet heen en zei zacht: 'Wat een verschrikkelijk leven moet jij hebben. Altijd de angst dat je ontdekt wordt. O Spriet, ik weet precies wat dat is. Waarom heb je me dat niet verteld? Dan had ik je kunnen helpen. Daar zijn we toch vriendinnen voor?'

Spriet wilde iets zeggen. Ze deed haar mond open. Haar lip begon te trillen en opeens huilde ze.

Jessie vloog op haar af.

'Niet huilen,' snikte ze. 'Niet huilen, mama. Het komt vast allemaal goed.'

Beertje

Waarom wist ze niet, maar Jessie dacht dikwijls aan de baron. Ze had hem één keer gezien en toch bleef ze het akelig vinden dat hij dood was. 'Het is de natuur, Jes,' zei Spriet toen ze erover praatten. 'Alle oude opa's en oma's gaan dood. Dat is normaal.'

Jessie wilde liever niet meer aan Suus en Erik denken. Hoe Suus gehuild had, hoe Erik haar had uitgescholden.

Spriet zei dat ze het goed maakten. Ze werkte bij Erik en zag ze elke dag. 'Erik gaat zelfs iets meer van Hans snappen,' zei ze. 'En Suus is een schat.'

Dat vond Jessie ook. Daarom wilde ze het beertje terug zetten. Stiekem. Ze durfde niet aan Suus te vertellen dat Hans het haar had gegeven.

Piet begreep het gelukkig en gaf haar het beertje terug. Op een ochtend, toen ze het net had teruggezet en de deur van de zilverkast had dichtgedaan, kwam Hans de kamer in.

'Sta je nou weer naar die beren te kijken?'

'Ik heb het beertje net teruggezet. Want ik wilde het toch niet houden. Het is eigenlijk van Suus.'

'O, dat kan mijn moeder niets schelen, die geeft er toch niets om. Ik vraag het wel even.'

Suus kwam erbij: 'Neem er maar eentje, hoor. Ik heb ze een keer op een veiling gekocht, maar eigenlijk hou ik meer van de molentjes.' Ze deed de deur open en haalde er een beertje uit. 'Veel plezier ermee.'

De volgende dag gingen Jessie en Hans naar buuf. Bij de bloemenwinkel kocht ze een plantje. Omdat Spriet goed verdiende, had ze meteen zakgeld gekregen.

Op het plaatsje, tussen de klimop en de potten met planten, dronken ze chocomel.

Piet had het beertje gepoetst tot het glom als vernis op een schilderij.

'Wat lief van jullie,' zei buuf. 'Dank je hartelijk.'

'Je vindt het toch wel echt mooi?' vroeg Jessie.

'Natuurlijk schat. Ik zet het er meteen bij.' Ze liep naar de berenplank en gaf het een plaatsje.

'Weet je dat Hans hartstikke mooi fluit speelt?'

'Niet hartstikke mooi,' zei Hans. 'Die hoge g hè, die krijg ik maar niet mooi.'

'Oefenen,' zei buuf. 'Net zo lang oefenen tot het goed gaat.'

'Weet je dat buuf op haar hoofd kan staan?'

'Nou ja, vroeger,' zei buuf. 'Ik heb het niet bijgehouden en als je iets niet bijhoudt... Maar laatst heb ik het nog eens geprobeerd. Ik wou het zo graag aan Jessie laten zien. Want het is heel goed om op je hoofd te staan. Dat is gezond voor je ziel.'

'Ging het?' vroeg Hans nieuwsgierig. 'Ik wil het dolgraag leren.'

'Nee,' antwoordde buuf. 'Het ging niet meer. Ik heb bijna mijn nek gebroken.'

Op dat moment keek Piet uit het raam.

'Komen jullie boven?'

'Nee,' zei Hans. 'Ik ga naar huis.'

Jessie riep 'straks!' maar buuf zei: 'Ik zou maar meteen gaan. Het is zo stil voor Piet, nu Spriet werkt en bijna nooit meer thuis is.'

Ze stond op en liep naar de beertjesplank.

'Dank je wel, jongens. Ik vind het zilveren beertje erg, erg mooi, maar mijn mooiste beer is toch deze.'

Ze wees naar het beertje dat Jessie in de rommelwinkel had gekocht. 'Die kijkt me altijd zo lief aan. Net zo lief als Jessie.'

Slot

Piet had de tafel gedekt met een mooi bloemetjeskleed. Er stond een zelfgebakken tulband naast het theeblad. 'Ik heb heerlijke thee gezet,' zei hij. 'Speciale thee uit India, die ik van Erik heb gekregen. Thee moet je met aandacht drinken. Onthoud maar goed wat ik zeg: zonder thee is het leven niks.'

'Ja,' zei Jessie. 'Dat weet ik nou wel.'

Piet keek haar aan. 'Uit je humeur?'

Ze gaf geen antwoord.

'Ik denk wel eens,' zei Piet, 'dat het zo saai in huis is nu Spriet elke dag weg is. Het is nu een stuk minder spannend.' Hij wachtte even alsof hij de woorden moest zoeken. 'Vroeger,' vervolgde hij, 'vroeger had ik altijd plezier. Ik was altijd actief. Ik was zo slim. Wat ik zag maakten mijn handen. Ik wist alles van elektriciteit. Als er iets kapot was kon ik het maken. Ik wist zelfs meer dan mijn vader.'

'Had je een aardige vader?'

'O ja,' antwoordde Piet. 'Hij gaf me alle kansen. Mijn moeder was zo trots op me... tot ik ging stelen en in de gevangenis kwam. Toen was het afgelopen. Je komt maar terug als je je tengels thuis kunt houden, zei mijn vader.'

'Dat kun je nou toch?'

'Ja, maar nu is het te laat. Ik heb ze in geen jaren gezien. Ik zou niet weten wat ik moest zeggen.'

'Dat het ons goed gaat en dat je ze wilt zien. Straks zijn ze dood, Piet, net als de baron en dan heb je spijt.'

Stilte.

Piet zat zenuwachtig op zijn stoel te schuiven. 'Ik zou ze wel willen bellen, maar ik durf niet.'

'Moet ik je hand vasthouden?'

Hij lachte, maar niet van harte.

Toen gebeurde wat Jessie niet gedacht had: hij pakte het telefoonboek, zocht een nummer op en belde.

'Met Piet,' zei hij schor.

Stilte.

'Hallo, hallo,' zei Piet zenuwachtig. 'Ik dacht dat je had opgehangen. Ja moeder, alles gaat goed. Echt waar. We willen dolgraag komen. Ik...' Zijn stem trilde en hij keek of hij ging huilen. 'Dat doen we, moeder,' zei hij ten slotte. 'Hier komt ze.'

Jessie pakte zijn telefoon aan.

'Duifje?' zei een vreemde stem.

'Oma?'

'Wat ben ik blij dat je belt, dat ik je stem hoor. Opa en ik hebben het zo vaak over je gehad. Ik heb je zo dikwijls willen bellen, maar...'

Jessie wist niet wat ze zeggen moest.

'O Duifje...' Ze praatte door. Jessie kon het niet allemaal verstaan. Het was ook raar dat die vreemde stem die praatte, soms huilde, de stem van haar oma was. Een oma die ze nog nooit gezien had.

Een oma die ze zo graag wilde zien.

Daarna kwam haar opa.

Zijn stem leek op die van Piet.

'Ja,' antwoordde ze. 'Het gaat allemaal goed. Mama heeft een baan en papa zorgt voor ons. Op school? Ja goed, hoor. Hier komt papa.'

Het was raar om papa en mama te zeggen.

Maar opa en oma noemden hen zo.

Ze liep de kamer uit.

In de keuken ging ze voor het raam staan en keek naar buiten.

Ze had een vreemd gevoel. Een gevoel dat ze niet kende. Of er iets bijzonders ging gebeuren. Iets wat ze nog nooit beleefd had.

Ze dacht aan hun stemmen. Je kon horen dat het lieve mensen waren. Gewone aardige mensen.

En toch.

Piet kwam de keuken in.

Ze kon zien dat hij gehuild had.

'Effe wat drinken,' zei hij. 'Allemachtig. Wat een emotie.'

'Wat zijn het eigenlijk voor mensen?' vroeg Jessie na een tijdje.

'Ingoed en goudeerlijk,' zei Piet. 'Maar ze snapten niks van me. Echt niks, Jes. Daardoor werd ik zo dwars als een deur. Ik wou alles anders. Ik had een gevoel of ik thuis stikte. Nou ja, je weet het.'

'Wat wilde je dan anders?'

'Ik wou zingen bij een band. Op het toneel staan. Het haar hing over mijn schouders, ik droeg van die enge puntlaarzen en ik barstte bijna uit mijn broeken. Zo strak waren ze.'

Jessie moest vreselijk lachen.

'Je kan nog niet eens lang zal ze leven zingen.'

Piet haalde zijn schouders op. 'Alle jongens wilden in een band. Ik wou niet werken. Ik wou zingen. En daar konden mijn vader en moeder niet tegen. Elke dag ruzie. Ze snapten niks van me, echt niks.'

'Snappen ze je nu wel dan?'

'Dat geloof ik niet,' zei Piet nadenkend. 'Maar ik ben ouder geworden. Ik weet zeker dat ze van me hielden. Ik ga proberen om het een beetje beter te doen. Het zijn toch mijn ouders, Jes.'

'Zouden ze mij snappen?'

'Ach Jessie, ze zullen zo blij met je zijn. Ze zullen je met open armen ontvangen en je levenslang koesteren.'

Het klonk als uit een boek.

Eindelijk een gewone familie.

Dolf Verroen
De verschrikkelijke schoolmeester

Honderd jaar geleden kon je beter geen straf krijgen.
Ze hakten je tenen af en sloegen je billen blauw of het niks
was... Jij hebt op school alleen aardige meesters.
Die trekken nooit voor straf je haren uit of draaien
je oor er (bijna) af.
Natuurlijk niet, alle meesters zijn tegenwoordig lief.
Hoewel – ik weet een school en daar is een meester...!
Die wil niet alleen de kinderen uit zijn klas opvoeden, maar
alle kinderen in Nederland. Dus jou ook.
Hoe hij dat doet moet je maar lezen.
Als je durft tenminste...

Dolf Verroen
De verschrikkelijke schooljuffrouw

Eindelijk krijgen Tina en Tony weer een juf. Ze verheugen
zich erop, want juffies zijn bijna altijd aardig. Hun nieuwe
juf ziet er heel lief uit en ze is nog wereldberoemd ook.
Ze doet overal mee aan demonstraties tegen de opwarming
van de aarde. Haar motto is: kou is goed voor jou.
Juf doet midden in de winter de verwarming uit en het
raam open. En als de kinderen willen protesteren,
weten ze niet wat hun overkomt.
Hoe kunnen Tina en Tony hun klas van deze kille juf
verlossen?

Dacht je dat de verschrikkelijke schoolmeester erg was?
Dan ken je deze schooljuffrouw nog niet!
Een boek waarvan zelfs juffies nog iets kunnen leren.